힘이 붙는 수학

연산

초등 **4A**

단계별
학습 내용

1 초1 수준

	A		B
1단계	9까지의 수	1단계	100까지의 수
2단계	9까지의 수를 모으기, 가르기	2단계	덧셈과 뺄셈(1)
3단계	덧셈과 뺄셈	3단계	덧셈과 뺄셈(2)
4단계	50까지의 수	4단계	덧셈과 뺄셈(3)

2 초2 수준

	A		B
1단계	세 자리 수	1단계	네 자리 수
2단계	덧셈과 뺄셈	2단계	곱셈구구
3단계	덧셈과 뺄셈의 관계	3단계	길이의 계산
4단계	세 수의 덧셈과 뺄셈	4단계	시각과 시간
5단계	곱셈		

3 초3 수준

	A		B
1단계	덧셈과 뺄셈	1단계	곱셈
2단계	나눗셈	2단계	나눗셈
3단계	곱셈	3단계	분수
4단계	길이와 시간	4단계	들이
5단계	분수와 소수	5단계	무게

🐙 전체 학습 설계도를 보고 초등 수학의 과정을 알 수 있습니다.

4 초4 수준

A	B
1단계 큰 수	1단계 분수의 덧셈
2단계 각도	2단계 분수의 뺄셈
3단계 곱셈	3단계 소수
4단계 나눗셈	4단계 소수의 덧셈
	5단계 소수의 뺄셈

5 초5 수준

A	B
1단계 자연수의 혼합 계산	1단계 수의 범위
2단계 약수와 배수	2단계 어림하기
3단계 약분과 통분	3단계 분수의 곱셈
4단계 분수의 덧셈과 뺄셈	4단계 소수의 곱셈
5단계 다각형의 둘레와 넓이	5단계 평균

6 초6 수준

A	B
1단계 분수의 나눗셈	1단계 분수의 나눗셈
2단계 소수의 나눗셈	2단계 소수의 나눗셈
3단계 비와 비율	3단계 비례식
4단계 직육면체의 부피와 겉넓이	4단계 비례배분
	5단계 원의 넓이

1 개념 정리

개념 정리 내용을 확인하며 계산 원리를 충분히 이해해요.

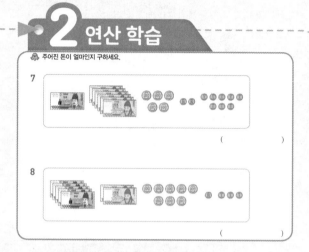

2 연산 학습

다양한 유형의 연산 문제를 통해 연산력을 강화해요. 매일 연산 학습을 반복하면 더 효과적으로 학습할 수 있어요.

3 생활 속 연산

다양한 실생활 속 상황에서 연산력을 키워 문제를 해결해요.

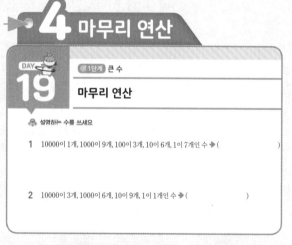

4 마무리 연산

연산 학습을 잘했는지 문제를 풀어 보며 확인해요.

Contents 차례

1

큰 수

문제를 잘 읽고 요구하는
답이 무엇인지 꼼꼼히
살펴보자!

학습 결과와 시간을 써 보세요!

학습 내용	학습 회차	맞힌 개수/걸린 시간
1. 다섯 자리 수	DAY 01	/
	DAY 02	/
	DAY 03	/
	DAY 04	/
2. 십만, 백만, 천만	DAY 05	/
	DAY 06	/
	DAY 07	/
	DAY 08	/
3. 억, 조	DAY 09	/
	DAY 10	/
	DAY 11	/
	DAY 12	/
4. 뛰어 세기	DAY 13	/
	DAY 14	/
	DAY 15	/
5. 수의 크기 비교하기	DAY 16	/
	DAY 17	/
	DAY 18	/
마무리 연산	DAY 19	/
	DAY 20	/

◎ 1단계 큰 수

1. 다섯 자리 수

예 26584 **알아보기**

10000이 2개, 1000이 6개, 100이 5개, 10이 8개,
1이 4개인 수

쓰기 26584

읽기 이만 육천오백팔십사

수를 읽을 때 만 단위로
끊어서 읽어!

🐙 **설명하는 수를 쓰세요.**

1 10000이 1개, 1000이 7개, 100이 8개, 10이 5개, 1이 3개인 수 ➡ (   )

2 10000이 3개, 1000이 9개, 100이 2개, 10이 7개, 1이 4개인 수 ➡ (   )

3 10000이 2개, 100이 9개, 10이 5개, 1이 4개인 수 ➡ (   )

4 10000이 5개, 1000이 2개, 10이 4개, 1이 8개인 수 ➡ (   )

5 10000이 7개, 1000이 1개, 100이 4개, 1이 9개인 수 ➡ (   )

6 10000이 8개, 1000이 4개, 100이 2개, 10이 1개인 수 ➡ (   )

🐙 주어진 돈이 얼마인지 구하세요.

7

(   )

8

(   )

9

(   )

10

(   )

1. 다섯 자리 수

🐙 ☐ 안에 알맞은 수를 써넣으세요.

1
41114 ➜ 10000이 4개, 1000이 1개, 100이 1개, 10이 ☐개, 1이 ☐개인 수

2
82495 ➜ 10000이 ☐개, 1000이 2개, 100이 4개, 10이 ☐개, 1이 5개인 수

3
74612 ➜ 10000이 ☐개, 1000이 4개, 100이 ☐개, 10이 1개, 1이 2개인 수

4
61952 ➜ 10000이 6개, 1000이 ☐개, 100이 9개, 10이 ☐개, 1이 ☐개인 수

5
39814 ➜ 10000이 ☐개, 1000이 ☐개, 100이 8개, 10이 1개, 1이 ☐개인 수

6
48766 ➜ 10000이 ☐개, 1000이 8개, 100이 7개, 10이 ☐개, 1이 ☐개인 수

🐙 ☐ 안에 알맞은 수를 써넣으세요.

7 　 38294 　 ➡ 　 10000이 3개, 1000이 ☐개, 100이 ☐개, 10이 9개, 1이 ☐개인 수

8 　 55103 　 ➡ 　 10000이 ☐개, 1000이 ☐개, 100이 1개, 10이 0개, 1이 ☐개인 수

9 　 90451 　 ➡ 　 10000이 ☐개, 1000이 ☐개, 100이 4개, 10이 5개, 1이 ☐개인 수

10 　 40903 　 ➡ 　 10000이 4개, 1000이 0개, 100이 ☐개, 10이 ☐개, 1이 ☐개인 수

11 　 74008 　 ➡ 　 10000이 ☐개, 1000이 ☐개, 100이 ☐개, 10이 ☐개, 1이 ☐개인 수

12 　 89600 　 ➡ 　 10000이 ☐개, 1000이 ☐개, 100이 ☐개, 10이 ☐개, 1이 ☐개인 수

◎ 1단계 큰 수

1. 다섯 자리 수

예 54269 알아보기

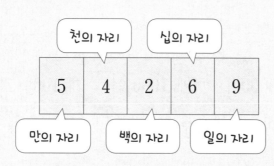

천의 자리 십의 자리

| 5 | 4 | 2 | 6 | 9 |

만의 자리   백의 자리   일의 자리

54269에서 4가 나타내는 수는 4000이고, 6이 나타내는 수는 60이야.

$$54269 = 50000 + 4000 + 200 + 60 + 9$$

🐙 알맞은 수를 쓰세요.

1 38294의 만의 자리 숫자

( )

2 51872의 천의 자리 숫자

( )

3 80413의 백의 자리 숫자

( )

4 24506의 십의 자리 숫자

( )

5 49007의 만의 자리 숫자

( )

6 19504의 천의 자리 숫자

( )

7 74215의 일의 자리 숫자

( )

8 59408의 만의 자리 숫자

( )

🐙 설명하는 수를 찾아 ○표 하세요.

9
만의 자리 숫자가 2인 수

28354   92154
(   ) (   )

10
일의 자리 숫자가 7인 수

10347   54978
(   ) (   )

11
십의 자리 숫자가 6인 수

96052   43861
(   ) (   )

12
백의 자리 숫자가 7인 수

32752   75023
(   ) (   )

13
만의 자리 숫자가 2인 수

21830   61267
(   ) (   )

14
천의 자리 숫자가 4인 수

52467   54098
(   ) (   )

15
만의 자리 숫자가 9인 수

90147   69432
(   ) (   )

16
천의 자리 숫자가 8인 수

84136   58492
(   ) (   )

🎯 1단계 큰 수

1. 다섯 자리 수

🐙 각 자리의 숫자가 나타내는 값의 합으로 나타내어 보세요.

1 $51872 = 50000 +$ ☐ $+ 800 +$ ☐ $+ 2$

→ 천의 자리 숫자가 나타내는 값   → 십의 자리 숫자가 나타내는 값

2 $96443 =$ ☐ $+ 6000 + 400 + 40 +$ ☐

3 $19457 =$ ☐ $+$ ☐ $+ 400 +$ ☐ $+ 7$

4 $26188 = 20000 +$ ☐ $+$ ☐ $+$ ☐ $+ 8$

5 $70457 =$ ☐ $+ 400 +$ ☐ $+$ ☐

6 $34051 = 30000 +$ ☐ $+$ ☐ $+$ ☐

7 $48904 =$ ☐ $+$ ☐ $+ 900 +$ ☐

🐙 밑줄 친 숫자가 나타내는 값을 구하세요.

8　52384

(　　　　　)

9　35910

(　　　　　)

10　71249

(　　　　　)

11　19724

(　　　　　)

12　29845

(　　　　　)

13　22046

(　　　　　)

14　80296

(　　　　　)

15　84390

(　　　　　)

16　71236

(　　　　　)

17　45918

(　　　　　)

DAY 05

🎯 1단계 큰 수

2. 십만, 백만, 천만

예 23155000 **알아보기**

만이 2315개, 일이 5000개인 수

쓰기 23155000

읽기 이천삼백십오만 오천

🐙 설명하는 수를 쓰세요.

1 만이 19개, 일이 8920개인 수

( )

2 만이 64개, 일이 7210개인 수

( )

3 만이 65개, 일이 981개인 수

( )

4 만이 844개, 일이 9523개인 수

( )

5 만이 6개, 일이 7449개인 수

( )

6 만이 12개, 일이 3406개인 수

( )

7 만이 326개, 일이 12개인 수

( )

8 만이 149개, 일이 5개인 수

( )

🐙 설명하는 수를 쓰세요.

9

만이 6207개, 일이 7005개인 수

(   )

10

만이 7209개, 일이 940개인 수

(   )

11

만이 1006개, 일이 1042개인 수

(   )

12

만이 9개, 일이 5126개인 수

(   )

13

만이 405개, 일이 80개인 수

(   )

14

만이 7315개, 일이 1개인 수

(   )

15

만이 3080개, 일이 46개인 수

(   )

16

만이 6800개, 일이 506개인 수

(   )

17

만이 9040개, 일이 3개인 수

(   )

18

만이 129개, 일이 204개인 수

(   )

◎ 1단계 큰 수

2. 십만, 백만, 천만

🐙 □ 안에 알맞은 수를 써넣으세요.

1 513249
➡ 만이 □ 개, 일이 3249개인 수

2 6945214
➡ 만이 694개, 일이 □ 개인 수

3 122781
➡ 만이 □ 개, 일이 2781개인 수

4 573027
➡ 만이 57개, 일이 □ 개인 수

5 8224733
➡ 만이 □ 개, 일이 4733개인 수

6 6150493
➡ 만이 615개, 일이 □ 개인 수

7 99358
➡ 만이 □ 개, 일이 □ 개인 수

8 747742
➡ 만이 □ 개, 일이 □ 개인 수

9 3080645
➡ 만이 □ 개, 일이 □ 개인 수

10 62182
➡ 만이 □ 개, 일이 □ 개인 수

🐙 다음은 어느 해 우리나라 주요 지역의 인구수입니다. ☐ 안에 알맞은 수를 써넣으세요.

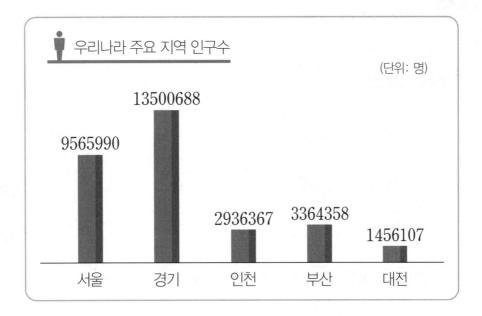

11 서울의 인구수는 만이 956개, 일이 ☐개인 수입니다.

12 경기의 인구수는 만이 ☐개, 일이 688개인 수입니다.

13 인천의 인구수는 만이 ☐개, 일이 ☐개인 수입니다.

14 부산의 인구수는 만이 ☐개, 일이 ☐개인 수입니다.

15 대전의 인구수는 만이 ☐개, 일이 ☐개인 수입니다.

🎯 1단계 큰 수

2. 십만, 백만, 천만

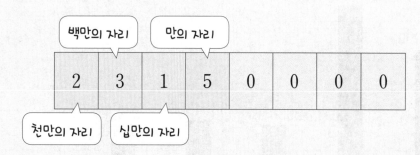

예 23150000 알아보기

백만의 자리

만의 자리

| 2 | 3 | 1 | 5 | 0 | 0 | 0 | 0 |

천만의 자리

십만의 자리

23150000의 십만의 자리 숫자는 1이야!

23150000＝20000000＋3000000＋100000＋50000

🐙 알맞은 수를 쓰세요.

1 41870000의 십만의 자리 숫자
→십만의 자리
→만의 자리
( )

2 12890000의 천만의 자리 숫자
( )

3 8253000의 만의 자리 숫자
( )

4 96320000의 백만의 자리 숫자
( )

5 1760000의 백만의 자리 숫자
( )

6 60873982의 만의 자리 숫자
( )

7 31874000의 십만의 자리 숫자
( )

8 51007854의 천만의 자리 숫자
( )

🐙 설명하는 수를 찾아 색칠하세요.

9 백만의 자리 숫자가 2인 수

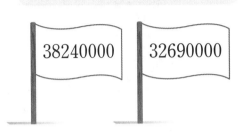

38240000   32690000

10 만의 자리 숫자가 5인 수

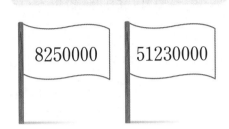

8250000   51230000

11 천만의 자리 숫자가 4인 수

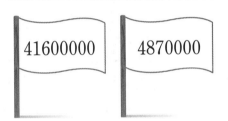

41600000   4870000

12 백만의 자리 숫자가 6인 수

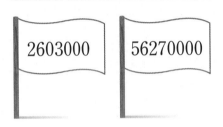

2603000   56270000

13 만의 자리 숫자가 0인 수

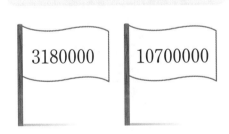

3180000   10700000

14 십만의 자리 숫자가 9인 수

1937620   5809126

15 백만의 자리 숫자가 7인 수

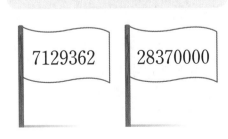

7129362   28370000

16 십만의 자리 숫자가 8인 수

845700   81526009

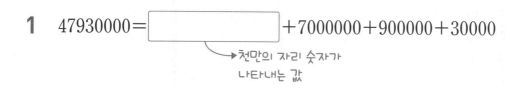

1단계 큰 수

2. 십만, 백만, 천만

🐙 각 자리의 숫자가 나타내는 값의 합으로 나타내어 보세요.

1 $47930000 = \boxed{} + 7000000 + 900000 + 30000$

→ 천만의 자리 숫자가
나타내는 값

2 $12840000 = 10000000 + \boxed{} + 800000 + \boxed{}$

3 $52690000 = \boxed{} + 2000000 + \boxed{} + 90000$

4 $35160000 = \boxed{} + \boxed{} + 100000 + \boxed{}$

5 $74840000 = 70000000 + \boxed{} + 800000 + \boxed{}$

6 $62130000 = \boxed{} + 2000000 + \boxed{} + \boxed{}$

7 $84250000 = \boxed{} + \boxed{} + 200000 + \boxed{}$

🐙 학생들이 만든 수에서 ㉠, ㉡이 나타내는 값을 각각 구하세요.

8

내가 만든 수는
52310000이야.
㉠㉡

원우

㉠ (   )
㉡ (   )

9

나는 3570000을 만들었어.
㉠㉡

세은

㉠ (   )
㉡ (   )

10

내가 만든 수는
92390000이야.
㉠   ㉡

민규

㉠ (   )
㉡ (   )

11

나는 9527800을 만들었어.
㉠   ㉡

제이

㉠ (   )
㉡ (   )

12

나는 5218730을 만들었어.
㉠㉡

수민

㉠ (   )
㉡ (   )

◎1단계 큰 수

3. 억, 조

예 **217856940000 알아보기**

천억의 자리

백만의 자리

| 2 | 1 | 7 | 8 | 5 | 6 | 9 | 4 | 0 | 0 | 0 | 0 |

십억의 자리

만의 자리

└ 천억의 자리 숫자: 2
└ 나타내는 값: 200000000000

🐙 **설명하는 수를 쓰세요.**

1 억이 589개, 만이 2163개인 수

(   )

2 억이 2484개, 만이 1576개인 수

(   )

3 억이 7107개, 만이 8090개인 수

(   )

4 억이 650개, 만이 307개인 수

(   )

5 억이 3874개, 만이 5개인 수

(   )

6 억이 9개, 만이 352개인 수

(   )

7 억이 67개, 만이 4084개인 수

(   )

8 억이 500개, 만이 3개인 수

(   )

🐙 주어진 자리의 숫자를 쓰세요.

9　억의 자리 숫자
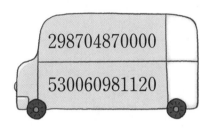
298704870000

530060981120

10　천억의 자리 숫자

843089051432

545089003000

11　백억의 자리 숫자
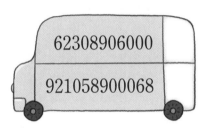
62308906000

921058900068

12　억의 자리 숫자

389408659000

534905873972

13　백억의 자리 숫자
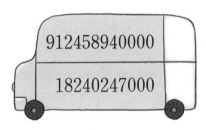
912458940000

18240247000

14　십억의 자리 숫자
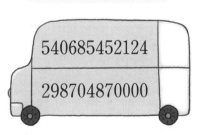
540685452124

298704870000

15　천억의 자리 숫자
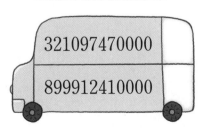
321097470000

899912410000

16　십억의 자리 숫자
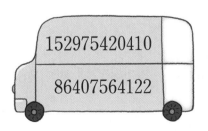
152975420410

86407564122

1단계 큰 수

3. 억, 조

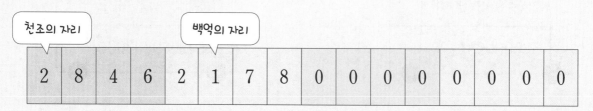

예 2846217800000000 알아보기

천조의 자리					백억의 자리										
2	8	4	6	2	1	7	8	0	0	0	0	0	0	0	0

┌ 천조의 자리 숫자: 2
└ 나타내는 값: 2000000000000000

🐙 설명하는 수를 쓰세요.

1 조가 7824개, 억이 9099개, 만이 3717개인 수 ➡ (   )

2 조가 6836개, 억이 6086개, 만이 9130개인 수 ➡ (   )

3 조가 82개, 억이 837개, 만이 9247개인 수 ➡ (   )

4 조가 630개, 억이 7012개, 만이 9184개인 수 ➡ (   )

5 조가 9097개, 억이 852개, 만이 1666개인 수 ➡ (   )

🐙 나무 판에 적힌 수를 보고 각 자리 숫자를 찾아 빈칸에 쓰세요.

6

5387026896145338

조의 자리 숫자	억의 자리 숫자
7	8

7

854629870187000

백조의 자리 숫자	천억의 자리 숫자
8	6

8

5733971150036420

천조의 자리 숫자	십억의 자리 숫자
5	1

9

47300682006708

십조의 자리 숫자	천만의 자리 숫자
4	8

10

2216230059880546

조의 자리 숫자	백억의 자리 숫자
6	3

11

1490004397765

조의 자리 숫자	만의 자리 숫자
1	9

◎ 1단계 큰 수

3. 억, 조

🐙 ☐ 안에 알맞은 수를 쓰세요.

1 223413010000 ➡ 억이 2234개, 만이 ☐ 개인 수

2 601470000 ➡ 억이 6개, 만이 ☐ 개인 수

3 87300170000 ➡ 억이 ☐ 개, 만이 ☐ 개인 수

4 232128974130000 ➡ 조가 ☐ 개, 억이 ☐ 개, 만이 7413개인 수

5 15003995980000 ➡ 조가 ☐ 개, 억이 39개, 만이 ☐ 개인 수

6 613013700470000 ➡ 조가 613개, 억이 ☐ 개, 만이 ☐ 개인 수

🐙 □ 안에 알맞은 수를 쓰세요.

7 7150530000 ➡ 억이 71개, 만이 [5053]개인 수

8 957945490000 ➡ 억이 [9579]개, 만이 4549개인 수

9 529043000290000 ➡ 조가 [529]개, 억이 430개, 만이 [29]개인 수

10 1035429300800000 ➡ 조가 [1035]개, 억이 [4293]개, 만이 80개인 수

11 882097901960000 ➡ 조가 882개, 억이 [979]개, 만이 [196]개인 수

12 18028200010000 ➡ 조가 [18]개, 억이 282개, 만이 [1]개인 수

1단계 큰 수

3. 억, 조

🐙 각 자리의 숫자가 나타내는 값의 합으로 나타내어 보세요.

1 2584억＝2000억＋□＋80억＋□

└→ 백억의 자리 숫자가
나타내는 값

└→ 억의 자리 숫자가
나타내는 값

2 6491억＝□＋□＋90억＋1억

3 7356억＝7000억＋□＋□＋□

4 4057조＝4000조＋□＋7조

5 1694조＝□＋600조＋□＋□

6 8839조＝8000조＋□＋□＋□

7 3904조＝3000조＋□＋□

🐙 자동차별 연간 판매액을 나타낸 것입니다. 밑줄 친 숫자가 나타내는 값을 쓰세요.

8   21<u>9</u>300000000000원

(   )

9   53838<u>0</u>900000000원

(   )

10   <u>2</u>06800359000000원

(   )

11   35014<u>2</u>500000000원

(   )

12   15<u>6</u>3280000000원

(   )

13   <u>9</u>538000000원

(   )

💡 **생활 속 연산**

다음은 유명 가수의 동영상을 전 세계에서 조회한 횟수입니다. ☐ 안에 알맞은 수를 써넣으세요.

조회수 4103000000회

4103000000 ➡ 억이 ☐ 개, 만이 ☐ 개인 수

◎ 1단계 큰 수

4. 뛰어 세기

예 **10000씩 뛰어 세기**

29800 — 39800 — 49800 — 59800 — 69800 — 79800

➜ 10000씩 뛰어 세면 만의 자리 수가 1씩 커집니다.

🐙 빈칸에 알맞은 수를 써넣으세요.

1 10만씩 뛰어 세기

100000 — 200000 — 300000 — ☐ — ☐ — ☐

2 10억씩 뛰어 세기

448억 — 458억 — ☐ — 478억 — ☐ — ☐

3 1조씩 뛰어 세기

218조 — ☐ — 220조 — ☐ — ☐ — ☐

4 100조씩 뛰어 세기

3724조 — ☐ — ☐ — ☐ — 4124조 — ☐

주어진 수만큼씩 뛰어 세어 보세요.

5

30000	40000	50000			

6

65만	75만			105만	

7

244억		264억	274억		

8

		2790조	2800조	2810조	

9

8400억		8600억		8800억	8900억

◎1단계 큰 수

4. 뛰어 세기

예 몇씩 뛰어 세었는지 알아보기

| 230억 | 240억 | 250억 | 260억 | 270억 | 280억 |

➡ 십억의 자리 수가 1씩 커지므로 10억씩 뛰어 세었습니다.

얼마만큼씩 뛰어 세었는지 알아보려고 합니다. ☐ 안에 알맞은 수를 써넣으세요.

1

| 35000 | 45000 | 55000 | 65000 | 75000 | 85000 |

➡ 만의 자리 수가 1씩 커지므로 ☐ 씩 뛰어 세었습니다.

2

| 610억 | 620억 | 630억 | 640억 | 650억 | 660억 |

➡ 십억의 자리 수가 1씩 커지므로 ☐ 씩 뛰어 세었습니다.

3

| 4조 25만 | 5조 25만 | 6조 25만 | 7조 25만 | 8조 25만 | 9조 25만 |

➡ 조의 자리 수가 1씩 커지므로 ☐ 씩 뛰어 세었습니다.

4

| 4890억 | 4990억 | 5090억 | 5190억 | 5290억 | 5390억 |

➡ 백억의 자리 수가 1씩 커지므로 ☐ 씩 뛰어 세었습니다.

🐙 얼마만큼씩 뛰어 센 것인지 쓰세요.

5

243900   253900   263900   273900   283900

(   )

6

20억   21억   22억   23억   24억

(   )

7

194조   204조   214조   224조   234조

(   )

8

56200   57200   58200   59200   60200

(   )

9

1807조   1907조   2007조   2107조   2207조

(   )

10

32억 8500만   32억 9500만   33억 500만   33억 1500만   33억 2500만

(   )

🎯 1단계 큰 수

4. 뛰어 세기

🐙 규칙에 따라 빈칸에 알맞은 수를 써넣으세요.

1

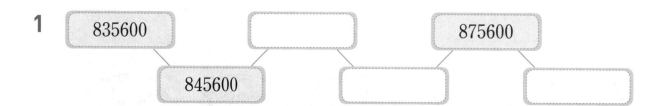

835600 ― 845600 ― [ ] ― [ ] ― 875600 ― [ ]

2

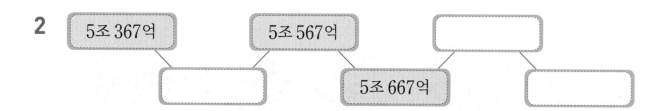

5조 367억 ― [ ] ― 5조 567억 ― 5조 667억 ― [ ] ― [ ]

3

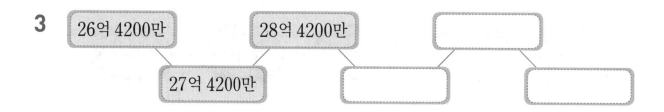

26억 4200만 ― 27억 4200만 ― 28억 4200만 ― [ ] ― [ ] ― [ ]

4

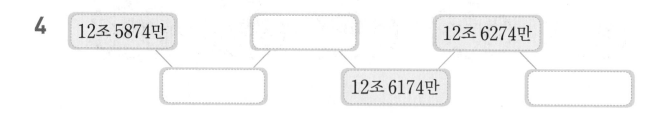

12조 5874만 ― [ ] ― [ ] ― 12조 6174만 ― 12조 6274만 ― [ ]

5

3126억 2508 ― [ ] ― 5126억 2508 ― [ ] ― 7126억 2508 ― [ ]

규칙에 따라 빈 곳에 알맞은 수를 써넣으세요.

6

7

8

◎ 1단계 큰 수

5. 수의 크기 비교하기

● 자릿수가 다를 때에는 자릿수가 많은 쪽이 더 큰 수입니다.

$$256100 > 84260$$
6자리 수   5자리 수

● 자릿수가 같을 때에는 높은 자리 수부터 차례로 비교하여 수가 큰 쪽이 더 큰 수입니다.

$$256100 < 261800$$
5 < 6

🐙 수의 크기를 비교하여 ○ 안에 >, <를 알맞게 써넣으세요.

자릿수를 비교해 봐!

1 $89370 < 502560$
5자리 수   6자리 수

자릿수가 같으면 높은 자리 수부터 비교해!

2 $61920300 < 62190000$
1 < 2

3 $2930100 \bigcirc 294560$

4 $48573000 \bigcirc 45921530$

5 $7256083 \bigcirc 7254990$

6 $5290만 \bigcirc 5859만$

7 $48920 \bigcirc 72300$

8 $3690000 \bigcirc 3642150$

9 $91625143 \bigcirc 91630000$

10 $84362570 \bigcirc 84361986$

🐙 더 큰 수에 ○표 하세요.

11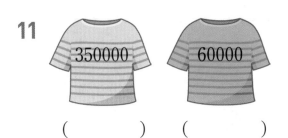

350000   60000

(   )   (   )

12

128400   150000

(   )   (   )

13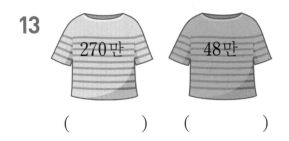

270만   48만

(   )   (   )

14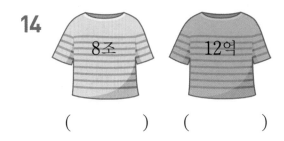

8조   12억

(   )   (   )

15

7억 20만   15억 1000

(   )   (   )

16

7498023   749823

(   )   (   )

17

6240010   640100

(   )   (   )

18

458조   45조 8000억

(   )   (   )

19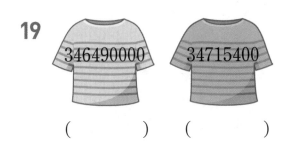

346490000   34715400

(   )   (   )

20

8000만   2000억

(   )   (   )

5. 수의 크기 비교하기

🐙 수의 크기를 비교하여 ○ 안에 >, =, <를 알맞게 써넣으세요.

1 8940 ◯ 12340

2 949900 ◯ 1695430

3 9457092 ◯ 9457009

4 2480만 ◯ 5100만

5 120억 ◯ 128억

6 4250조 ◯ 4185조

7 32억 8020만 ◯ 32억 8200만

8 5690조 1900만 ◯ 5915조

9 724조 5억 ◯ 379조 300억

10 68억 5284 ◯ 68억 5249

11 500조 ◯ 1300억

12 9억 280만 ◯ 28억

13 5억 270만 ◯ 8365만 1200

14 12조 5000만 ◯ 9800억

🐙 더 큰 수에 ○표 하세요.

15
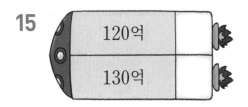
120억
130억

16
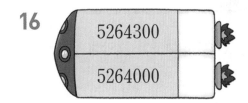
5264300
5264000

17
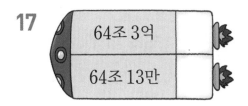
64조 3억
64조 13만

18

8억 2400만
9억 105만

19
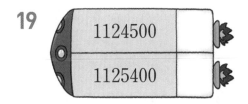
1124500
1125400

20

47조 28만
50조

21
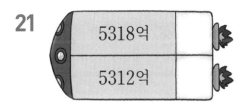
5318억
5312억

22

425만
409만

23
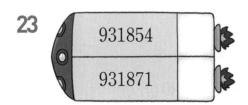
931854
931871

24

35억 145만
29억 3020만

5. 수의 크기 비교하기

두 수의 크기를 비교하여 ○ 안에 >, =, <를 알맞게 써넣으세요.

1 6238000 ◯ 841000

2 93810020 ◯ 93952400

3 165억 3000만 ◯ 68억 5000

4 55조 305만 ◯ 55조 15억

5 4260억 2100만 ◯ 4395억

6 332514000 ◯ 30억

7 721조 20억 ◯ 705조 350억

8 14290400 ◯ 138529000

9 14억 315만 ◯ 9억 5000만

10 82조 4000 ◯ 82조 305만

11 74103091 ◯ 78000000

12 160억 529만 ◯ 86억 12만

13 1조 42억 3000만 ◯ 1조 5200만

14 8017340 ◯ 8017500

🐙 더 큰 수에 색칠하세요.

15

52300   5926

16

184조 2300만   200조

17

4190만   4090만

18

300억   287억

19

9800억   1조 500억

20

3072820   3125000

21

527억 120만   584억 3000만

22

6억 9000만   15조

💡 생활 속 연산

다음은 태양과 행성 사이의 거리를 나타낸 표입니다. 태양에서 가장 멀리 떨어진 행성을 구하세요.

행성	거리	행성	거리
수성	57900000 km	금성	108200000 km
지구	149600000 km	화성	228000000 km

(   )

마무리 연산

🐙 설명하는 수를 쓰세요.

1 10000이 1개, 1000이 9개, 100이 3개, 10이 6개, 1이 7개인 수 ➜ (   )

2 10000이 3개, 1000이 6개, 10이 9개, 1이 1개인 수 ➜ (   )

3 만이 914개, 일이 8324개인 수 ➜ (   )

4 만이 5049개, 일이 217개인 수 ➜ (   )

5 억이 25개, 만이 1389개인 수 ➜ (   )

6 억이 970개, 만이 6021개인 수 ➜ (   )

7 조가 520개, 억이 3007개, 만이 40개인 수 ➜ (   )

🐙 밑줄 친 숫자가 나타내는 값을 구하세요.

8 53942

9 81207

10 16425

11 33489

12 2908004

13 16440001

14 5050075

15 4985047

16 12077601470

17 48410020000

18 79000004010

19 640010840000

🎯 1단계 큰 수

마무리 연산

🐙 규칙에 따라 빈칸에 알맞은 수를 써넣으세요.

1 27000 — 37000 — 47000 — 57000 — ☐ — ☐

2 662만 — 672만 — ☐ — 692만 — ☐ — 712만

3 1080만 — 2080만 — ☐ — 4080만 — ☐ — ☐

4 8억 7550만 — 8억 8550만 — ☐ — ☐ — 9억 1550만 — ☐

5 ☐ — 2120억 — ☐ — 2140억 — 2150억 — ☐

6 9824억 — 9924억 — ☐ — ☐ — 1조 224억 — ☐

🐙 두 수의 크기를 비교하여 ○ 안에 >, <를 알맞게 써넣으세요.

7 13945400 ◯ 2490000

8 84260001 ◯ 85160000

9 41억 5400만 ◯ 52억

10 61조 474만 ◯ 54조 5094억

11 164억 ◯ 4700000000

12 7940만 ◯ 7510495100000

13 854조 9000만 ◯ 854조 41억

14 14290400 ◯ 138529000

15 18억 504만 ◯ 18억 5004

16 75조 1640억 ◯ 75조 264억

17 12억 1029만 ◯ 240513246

18 9032567000 ◯ 90억

19 1조 42억 3000만 ◯ 1조 5200억

20 660억 529만 ◯ 16억 62만

2

각도

연산을 잘하면
실생활에서도 유용하게
쓸 수 있어!

학습 결과와 시간을 써 보세요!

학습 내용	학습 회차	맞힌 개수/걸린 시간
1. 각도의 합	DAY 01	/
	DAY 02	/
	DAY 03	/
2. 각도의 차	DAY 04	/
	DAY 05	/
	DAY 06	/
3. 삼각형의 세 각의 크기의 합	DAY 07	/
	DAY 08	/
	DAY 09	/
4. 사각형의 네 각의 크기의 합	DAY 10	/
	DAY 11	/
	DAY 12	/
마무리 연산	DAY 13	/
	DAY 14	/

기초력 상승!

하나 둘!
하나 둘!

⊙2단계 각도

1. 각도의 합

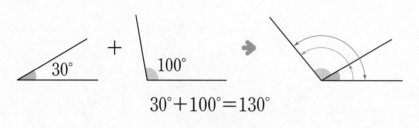

예 30°＋100°의 계산

$$30° + 100° = 130°$$

30＋100＝130이니까
30°＋100°＝130°야.

🐙 ☐ 안에 알맞은 수를 써넣으세요.

1

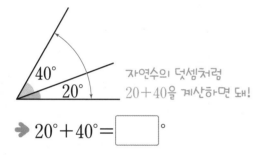

자연수의 덧셈처럼
20＋40을 계산하면 돼!

➜ $20° + 40° = $ ☐ °

2

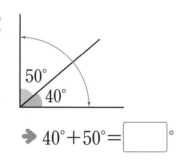

➜ $40° + 50° = $ ☐ °

3

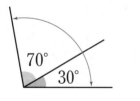

➜ $30° + 70° = $ ☐ °

4

➜ $50° + 80° = $ ☐ °

5

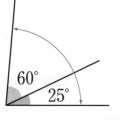

➜ $25° + 60° = $ ☐ °

6

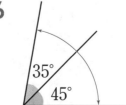

➜ $45° + 35° = $ ☐ °

🐙 각도의 합을 구하세요.

7 $110° + 30° =$ ◻ $°$

8 $80° + 40° =$ ◻ $°$

9 $50° + 60° =$ ◻ $°$

10 $125° + 20° =$ ◻ $°$

11 $70° + 60° =$ ◻ $°$

12 $105° + 25° =$ ◻ $°$

13 $45° + 120° =$ ◻ $°$

14 $110° + 70° =$ ◻ $°$

15 $48° + 125° =$ ◻ $°$

16 $140° + 105° =$ ◻ $°$

17 $95° + 84° =$ ◻ $°$

18 $99° + 45° =$ ◻ $°$

19 $38° + 134° =$ ◻ $°$

20 $129° + 55° =$ ◻ $°$

◎ 2단계 각도

1. 각도의 합

🐙 ☐ 안에 알맞은 수를 써넣으세요.

1

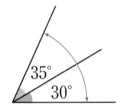

➡ $30° + 35° = $ ☐ °

2

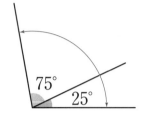

➡ $25° + 75° = $ ☐ °

3

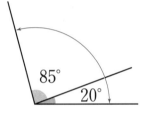

➡ $20° + 85° = $ ☐ °

4

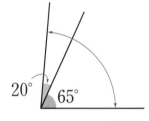

➡ $65° + 20° = $ ☐ °

5

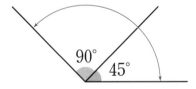

➡ $45° + 90° = $ ☐ °

6

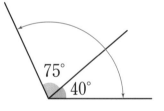

➡ $40° + 75° = $ ☐ °

7

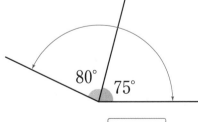

➡ $75° + 80° = $ ☐ °

8

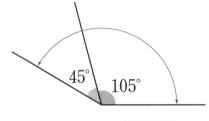

➡ $105° + 45° = $ ☐ °

🐙 각도의 합을 구하세요.

9 $110° + 40° = \boxed{}°$ **10** $80° + 55° = \boxed{}°$

11 $140° + 60° = \boxed{}°$ **12** $85° + 45° = \boxed{}°$

13 $95° + 80° = \boxed{}°$ **14** $60° + 80° = \boxed{}°$

15 $125° + 115° = \boxed{}°$ **16** $70° + 120° = \boxed{}°$

17 $97° + 143° = \boxed{}°$ **18** $133° + 105° = \boxed{}°$

19 $47° + 65° = \boxed{}°$ **20** $85° + 99° = \boxed{}°$

21 $124° + 88° = \boxed{}°$ **22** $95° + 175° = \boxed{}°$

1. 각도의 합

🐙 계산 결과를 찾아 선으로 이으세요.

1

80°+95°

125°+30°

175°

155°

135°

2

85°+105°

160°+35°

200°

195°

190°

3

37°+55°

25°+70°

95°

92°

90°

4

115°+15°

30°+90°

130°

120°

110°

5

95°+65°

40°+110°

150°

160°

170°

6

87°+68°

115°+30°

145°

150°

155°

7

20°+120°

65°+90°

140°

150°

155°

8

49°+36°

62°+28°

80°

85°

90°

🐙 두 각도의 합을 구하세요.

9 (15°) (45°)

(   )

10 (20°) (85°)

(   )

11 (55°) (35°)

(   )

12 (120°) (95°)

(   )

13 (70°) (115°)

(   )

14 (50°) (95°)

(   )

15 (92°) (38°)

(   )

16 (114°) (63°)

(   )

17 (88°) (145°)

(   )

18 (94°) (38°)

(   )

19 (74°) (86°)

(   )

20 (55°) (123°)

(   )

◎ 2단계 각도

2. 각도의 차

예 60°−20°의 계산

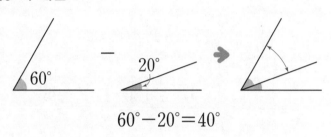

60°−20°=40°

60−20=40이니까
60°−20°=40°야.

🐙 ☐ 안에 알맞은 수를 써넣으세요.

1

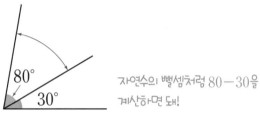

자연수의 뺄셈처럼 80−30을
계산하면 돼!

➜ 80°−30°= ☐ °

2

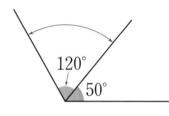

➜ 120°−50°= ☐ °

3

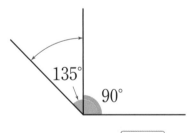

➜ 135°−90°= ☐ °

4

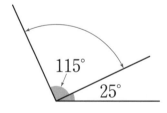

➜ 115°−25°= ☐ °

5

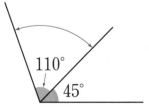

➜ 110°−45°= ☐ °

6

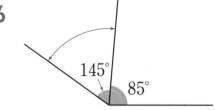

➜ 145°−85°= ☐ °

🐙 각도의 차를 구하세요.

7 $100° - 60° = \boxed{}°$

8 $90° - 80° = \boxed{}°$

9 $115° - 60° = \boxed{}°$

10 $95° - 25° = \boxed{}°$

11 $105° - 30° = \boxed{}°$

12 $95° - 60° = \boxed{}°$

13 $120° - 75° = \boxed{}°$

14 $130° - 85° = \boxed{}°$

15 $140° - 65° = \boxed{}°$

16 $80° - 35° = \boxed{}°$

17 $130° - 25° = \boxed{}°$

18 $140° - 82° = \boxed{}°$

19 $124° - 68° = \boxed{}°$

20 $97° - 48° = \boxed{}°$

2. 각도의 차

🐙 ☐ 안에 알맞은 수를 써넣으세요.

1

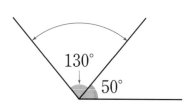

➡ $130° - 50° = $ ☐ °

2

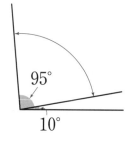

➡ $95° - 10° = $ ☐ °

3

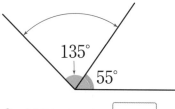

➡ $110° - 20° = $ ☐ °

4

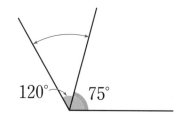

➡ $120° - 75° = $ ☐ °

5

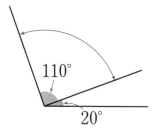

➡ $135° - 55° = $ ☐ °

6

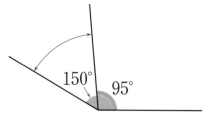

➡ $150° - 95° = $ ☐ °

7

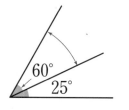

➡ $60° - 25° = $ ☐ °

8

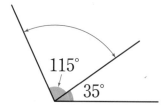

➡ $115° - 35° = $ ☐ °

🐙 각도의 차를 구하세요.

9 $90° - 30° = \boxed{}°$

10 $130° - 40° = \boxed{}°$

11 $75° - 10° = \boxed{}°$

12 $110° - 75° = \boxed{}°$

13 $85° - 30° = \boxed{}°$

14 $215° - 175° = \boxed{}°$

15 $62° - 12° = \boxed{}°$

16 $57° - 24° = \boxed{}°$

17 $140° - 95° = \boxed{}°$

18 $102° - 68° = \boxed{}°$

19 $100° - 69° = \boxed{}°$

20 $153° - 115° = \boxed{}°$

21 $119° - 84° = \boxed{}°$

22 $70° - 27° = \boxed{}°$

◎ 2단계 각도

2. 각도의 차

🐙 계산 결과를 찾아 선으로 이으세요.

1

75° − 15°

120° − 55°

60°

65°

70°

2

115° − 45°

85° − 25°

80°

70°

60°

3

80° − 15°

125° − 64°

65°

61°

57°

4

105° − 65°

110° − 60°

40°

50°

60°

5

135° − 73°

98° − 30°

68°

62°

58°

6

90° − 55°

65° − 20°

45°

40°

35°

7

83° − 16°

95° − 24°

81°

71°

67°

8

99° − 45°

83° − 30°

55°

54°

53°

🐙 두 각도의 차를 구하세요.

9 (135°) (25°)
(   )

10 (75°) (30°)
(   )

11 (155°) (30°)
(   )

12 (120°) (65°)
(   )

13 (115°) (35°)
(   )

14 (90°) (15°)
(   )

15 (138°) (52°)
(   )

16 (78°) (29°)
(   )

17 (110°) (49°)
(   )

18 (254°) (98°)
(   )

19 (94°) (55°)
(   )

◎ 2단계 각도

3. 삼각형의 세 각의 크기의 합

● 삼각형의 세 각의 크기의 합 알아보기

➡ ㉠+㉡+㉢＝180°

삼각형의 모양과 크기에
관계없이 삼각형의
세 각의 크기의 합은 180°야.

□ 안에 알맞은 수를 써넣으세요.

1

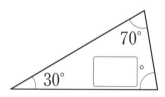

180°−70°−30°를 계산하면 나머지
한 각의 크기를 구할 수 있어.

2

3

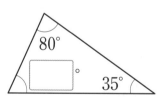

4

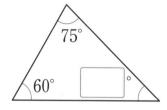

5

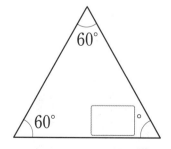

6

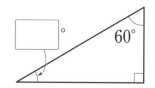

🐙 삼각형의 두 각의 크기가 각각 다음과 같을 때, 나머지 한 각의 크기를 구하세요.

7

| 40° | 30° |

(   )

8

| 95° | 20° |

(   )

9

| 35° | 100° |

(   )

10

| 60° | 60° |

(   )

11

| 20° | 80° |

(   )

12

| 120° | 30° |

(   )

13

| 75° | 25° |

(   )

14

| 30° | 110° |

(   )

15

| 80° | 85° |

(   )

16

| 55° | 25° |

(   )

◎ 2단계 각도

3. 삼각형의 세 각의 크기의 합

🐙 ☐ 안에 알맞은 수를 써넣으세요.

1
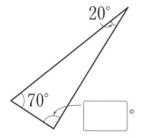

2
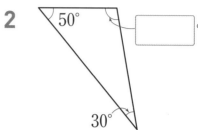

3
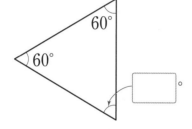

4
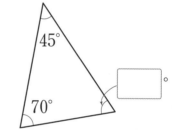

5
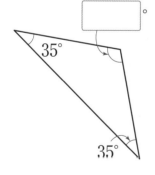

6
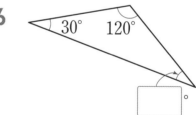

7
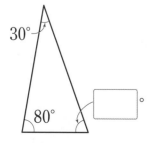

8
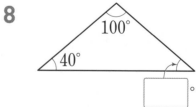

🐙 삼각형의 두 각의 크기가 각각 다음과 같을 때, 나머지 한 각의 크기를 구하세요.

9
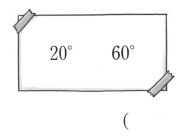
20°　　60°

(　　　　　　　)

10
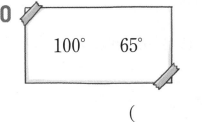
100°　　65°

(　　　　　　　)

11
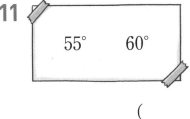
55°　　60°

(　　　　　　　)

12
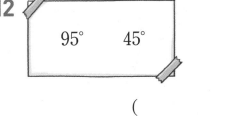
95°　　45°

(　　　　　　　)

13
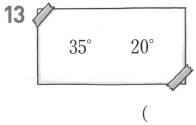
35°　　20°

(　　　　　　　)

14
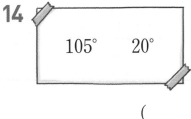
105°　　20°

(　　　　　　　)

15
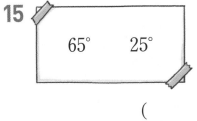
65°　　25°

(　　　　　　　)

16
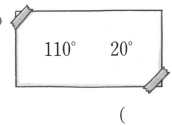
110°　　20°

(　　　　　　　)

17
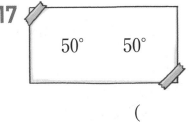
50°　　50°

(　　　　　　　)

18
60°　　95°

(　　　　　　　)

3. 삼각형의 세 각의 크기의 합

 □ 안에 알맞은 수를 써넣으세요.

1
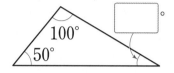

2
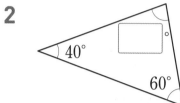

3
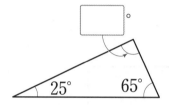

4
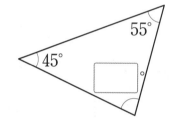

5
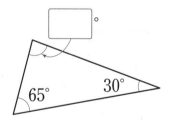

6
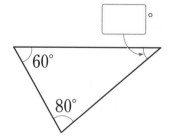

7
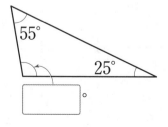

8
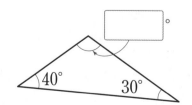

🐙 삼각형의 세 각의 크기가 적혀 있는 종이가 찢어져 나머지 한 각이 보이지 않습니다. 나머지 한 각의 크기를 구하세요.

9
45°　　100°

(　　　　　　　)

10
60°　　70°

(　　　　　　　)

11
90°　　20°

(　　　　　　　)

12
50°　　55°

(　　　　　　　)

13
25°　　80°

(　　　　　　　)

14
85°　　50°

(　　　　　　　)

15
105°　　30°

(　　　　　　　)

16
70°　　30°

(　　　　　　　)

💡 생활 속 연산

오른쪽과 같은 모양의 전등이 있습니다. 나머지 한 각의 크기를 구하세요.

(　　　　　　　)

4. 사각형의 네 각의 크기의 합

● 사각형의 네 각의 크기의 합 알아보기

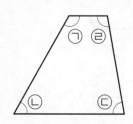

➡ ㉠+㉡+㉢+㉣=360°

사각형의 모양과 크기에 관계없이 사각형의 네 각의 크기의 합은 360°야.

🐙 ☐ 안에 알맞은 수를 써넣으세요.

1

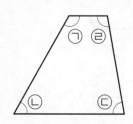

130°
80°
☐°

360°−90°−130°−80°를 계산하면 나머지 한 각의 크기를 구할 수 있어.

2

85°
60°
145°
☐°

3

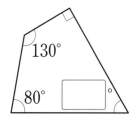

100°
85°
☐°

4

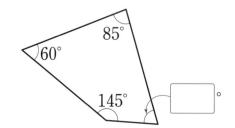

☐°
75°
95°
135°

5

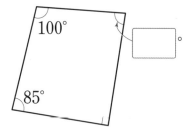

70°
100°
☐°
85°

6

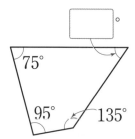

55°
105°
80°
☐°

🐙 사각형의 세 각의 크기가 각각 다음과 같을 때, 나머지 한 각의 크기를 구하세요.

7
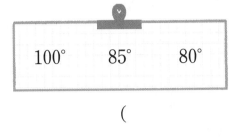
100°   85°   80°

(   )

8
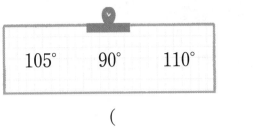
105°   90°   110°

(   )

9
70°   120°   105°

(   )

10
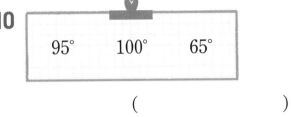
95°   100°   65°

(   )

11
70°   80°   85°

(   )

12
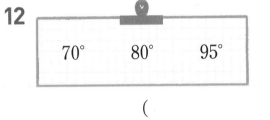
70°   80°   95°

(   )

13
130°   80°   115°

(   )

14
95°   75°   130°

(   )

15
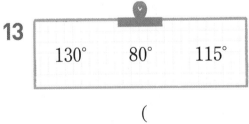
80°   110°   65°

(   )

16
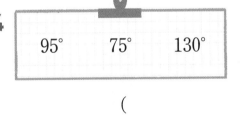
60°   130°   70°

(   )

◎ 2단계 각도

4. 사각형의 네 각의 크기의 합

🐙 □ 안에 알맞은 수를 써넣으세요.

1

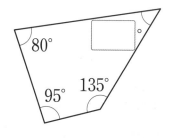

2

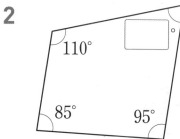

3

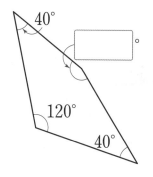

4

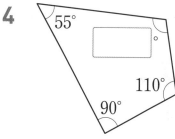

5

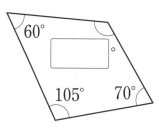

6

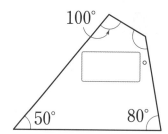

7

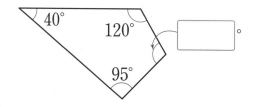

8

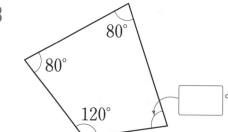

🐙 사각형의 세 각의 크기가 각각 다음과 같을 때, 나머지 한 각의 크기를 구하세요.

9

| 55° | 45° | 160° |

(   )

10

| 70° | 70° | 120° |

(   )

11

| 110° | 75° | 65° |

(   )

12

| 65° | 110° | 105° |

(   )

13

| 85° | 115° | 100° |

(   )

14

| 65° | 80° | 110° |

(   )

15

| 65° | 70° | 135° |

(   )

16

| 85° | 80° | 130° |

(   )

17

| 110° | 85° | 70° |

(   )

18

| 80° | 50° | 120° |

(   )

4. 사각형의 네 각의 크기의 합

🐙 ☐ 안에 알맞은 수를 써넣으세요.

1

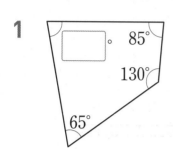

85°
130°
65°

2

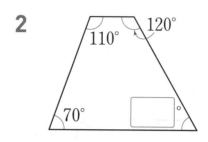

110° 120°
70°

3

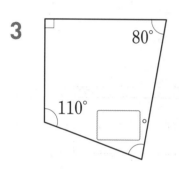

80°
110°

4

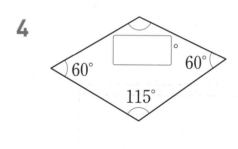

60° 60°
115°

5

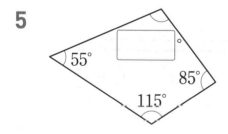

55°
85°
115°

6

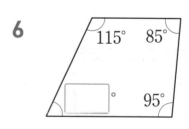

115° 85°
95°

7

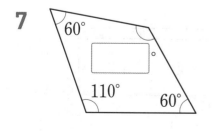

60°
110° 60°

8

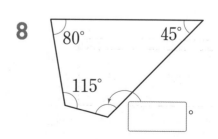

80° 45°
115°

🐙 사각형의 네 각의 크기가 적혀 있는 종이에 먹물이 튀어 나머지 한 각이 보이지 않습니다. 나머지 한 각의 크기를 구하세요.

9
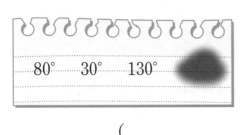
80°   30°   130°

(   )

10
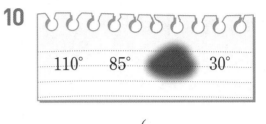
110°   85°   30°

(   )

11
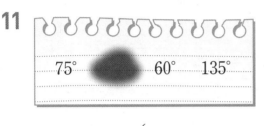
75°   60°   135°

(   )

12
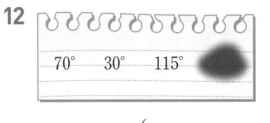
70°   30°   115°

(   )

13
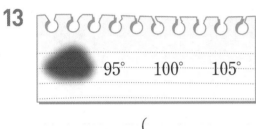
95°   100°   105°

(   )

14
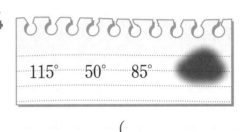
115°   50°   85°

(   )

15
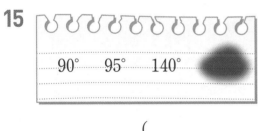
90°   95°   140°

(   )

16
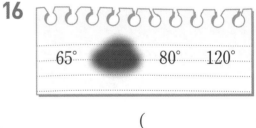
65°   80°   120°

(   )

💡 **생활 속 연산**

하준이는 아버지와 함께 의자를 만들었습니다. 만든 의자에서 나머지 한 각의 크기를 구하세요.

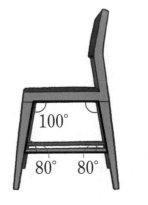
100°
80°   80°

(   )

2단계 각도

마무리 연산

🐙 각도의 합을 구하세요.

1 $55° + 61° = \boxed{}°$

2 $114° + 80° = \boxed{}°$

3 $125° + 70° = \boxed{}°$

4 $14° + 95° = \boxed{}°$

5 $45° + 35° = \boxed{}°$

6 $70° + 85° = \boxed{}°$

7 $160° + 130° = \boxed{}°$

8 $25° + 148° = \boxed{}°$

9 $55° + 180° = \boxed{}°$

10 $125° + 115° = \boxed{}°$

11 $28° + 94° = \boxed{}°$

12 $119° + 112° = \boxed{}°$

13 $75° + 84° = \boxed{}°$

14 $65° + 218° = \boxed{}°$

🐙 각도의 차를 구하세요.

15 $58° - 30° = \boxed{}°$

16 $234° - 50° = \boxed{}°$

17 $85° - 62° = \boxed{}°$

18 $177° - 44° = \boxed{}°$

19 $154° - 73° = \boxed{}°$

20 $227° - 97° = \boxed{}°$

21 $181° - 50° = \boxed{}°$

22 $128° - 93° = \boxed{}°$

23 $145° - 18° = \boxed{}°$

24 $184° - 16° = \boxed{}°$

25 $83° - 23° = \boxed{}°$

26 $121° - 24° = \boxed{}°$

27 $110° - 25° = \boxed{}°$

28 $119° - 26° = \boxed{}°$

◎ 2단계 각도

마무리 연산

□ 안에 알맞은 수를 써넣으세요.

1

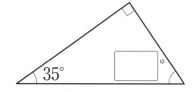

2

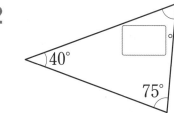

3

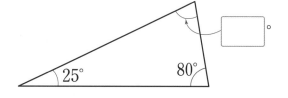

4

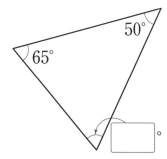

5

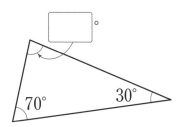

6

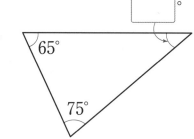

7

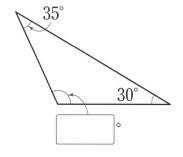

8

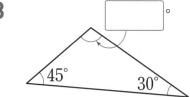

🐙 ☐ 안에 알맞은 수를 써넣으세요.

9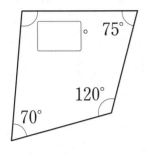

10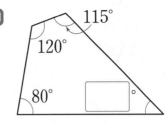

11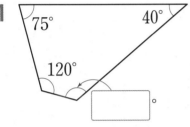

12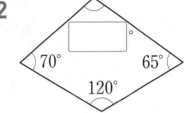

13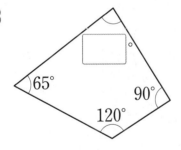

14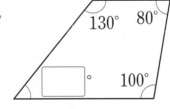

15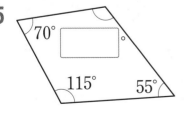

16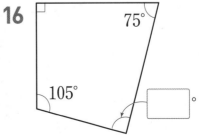

3

곱셈

학습 결과와 시간을 써 보세요!

학습 내용	학습 회차	맞힌 개수/걸린 시간
1. (몇백)×(몇십)	DAY **01**	/
	DAY **02**	/
	DAY **03**	/
2. (세 자리 수)×(몇십)	DAY **04**	/
	DAY **05**	/
	DAY **06**	/
	DAY **07**	/
3. (세 자리 수)×(두 자리 수)	DAY **08**	/
	DAY **09**	/
	DAY **10**	/
	DAY **11**	/
	DAY **12**	/
마무리 연산	DAY **13**	/
	DAY **14**	/

◎ 3단계 곱셈

1. (몇백)×(몇십)

예 300×40의 계산

0이 3개

$$300 \times 40 = 12000$$

$3 \times 4 = 12$

(몇백)×(몇십)은
(몇)×(몇)을 계산한 값에
0을 3개 붙여!

🐙 계산을 하세요.

① 2×6을 계산한 12를 적고

1 $200 \times 60 =$ 12000

② 0의 개수만큼 0을 뒤에 붙여.

2 $400 \times 80 =$ ⬚

3 $900 \times 70 =$ ⬚

4 $800 \times 50 =$ ⬚

5 $700 \times 50 =$ ⬚

6 $600 \times 30 =$ ⬚

7 $900 \times 40 =$ ⬚

8 $700 \times 70 =$ ⬚

9 $800 \times 20 =$ ⬚

10 $600 \times 40 =$ ⬚

🐙 계산을 하세요.

11
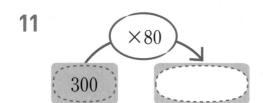

12
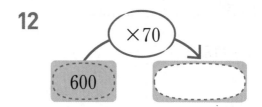

13
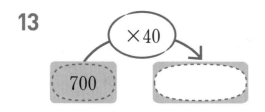

14
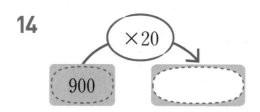

15
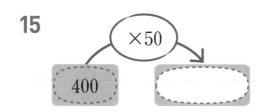

16
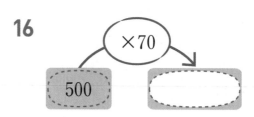

17
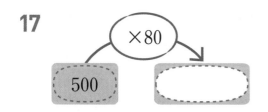

18
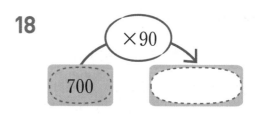

19
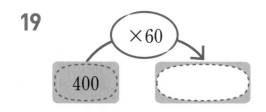

20
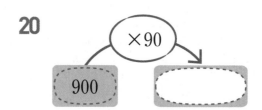

◎ 3단계 곱셈

1. (몇백)×(몇십)

🐙 계산을 하세요.

1 200×40

2 600×50

3 900×40

4 400×80

5 800×30

6 600×70

7 200×90

8 500×30

9 300×40

10 800×50

11 400×50

12 300×90

13 800×40

14 600×20

🐙 계산을 하세요.

15 400×60

(   )

16 300×30

(   )

17 200×80

(   )

18 400×70

(   )

19 700×70

(   )

20 500×80

(   )

21 900×90

(   )

22 600×40

(   )

23 500×40

(   )

24 600×90

(   )

25 700×30

(   )

26 800×70

(   )

◎ 3단계 곱셈

1. (몇백)×(몇십)

🐙 계산을 하세요.

1
$$
\begin{array}{r}
2\ 0\ 0 \\
\times \quad 7\ 0 \\
\hline
\end{array}
$$

2
$$
\begin{array}{r}
7\ 0\ 0 \\
\times \quad 5\ 0 \\
\hline
\end{array}
$$

3
$$
\begin{array}{r}
5\ 0\ 0 \\
\times \quad 6\ 0 \\
\hline
\end{array}
$$

4
$$
\begin{array}{r}
8\ 0\ 0 \\
\times \quad 3\ 0 \\
\hline
\end{array}
$$

5
$$
\begin{array}{r}
3\ 0\ 0 \\
\times \quad 9\ 0 \\
\hline
\end{array}
$$

6
$$
\begin{array}{r}
4\ 0\ 0 \\
\times \quad 4\ 0 \\
\hline
\end{array}
$$

7
$$
\begin{array}{r}
6\ 0\ 0 \\
\times \quad 3\ 0 \\
\hline
\end{array}
$$

8
$$
\begin{array}{r}
9\ 0\ 0 \\
\times \quad 7\ 0 \\
\hline
\end{array}
$$

9
$$
\begin{array}{r}
8\ 0\ 0 \\
\times \quad 7\ 0 \\
\hline
\end{array}
$$

10
$$
\begin{array}{r}
6\ 0\ 0 \\
\times \quad 7\ 0 \\
\hline
\end{array}
$$

11
$$
\begin{array}{r}
2\ 0\ 0 \\
\times \quad 8\ 0 \\
\hline
\end{array}
$$

12
$$
\begin{array}{r}
8\ 0\ 0 \\
\times \quad 6\ 0 \\
\hline
\end{array}
$$

13
$$
\begin{array}{r}
7\ 0\ 0 \\
\times \quad 9\ 0 \\
\hline
\end{array}
$$

14
$$
\begin{array}{r}
3\ 0\ 0 \\
\times \quad 6\ 0 \\
\hline
\end{array}
$$

15
$$
\begin{array}{r}
5\ 0\ 0 \\
\times \quad 4\ 0 \\
\hline
\end{array}
$$

🐙 간식을 주어진 개수만큼 사려고 합니다. 얼마가 필요한지 구하세요.

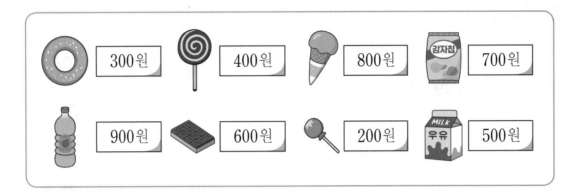

16
70개

		3	0	0
	×		7	0

(원)

17
50개

		4	0	0
	×		5	0

(원)

18
40개

		8	0	0
	×		4	0

(원)

19
80개

		7	0	0
	×		8	0

(원)

20
20개

		9	0	0
	×		2	0

(원)

21
50개

		6	0	0
	×		5	0

(원)

22
60개

		2	0	0
	×		6	0

(원)

23
90개

		5	0	0
	×		9	0

(원)

◎ 3단계 곱셈

2. (세 자리 수)×(몇십)

예 382×20의 가로셈

0이 1개

$382 × 20 = 7640$

$382 × 2 = 764$

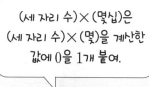
(세 자리 수)×(몇십)은
(세 자리 수)×(몇)을 계산한
값에 0을 1개 붙여.

🐙 계산을 하세요.

1 $143 × 4 =$ 572

$143 × 40 =$ 5720

② 계산 결과도
10배가 돼!

① 곱하는 수가 10배가 되면

2 $234 × 3 =$ ☐

$234 × 30 =$ ☐

3 $329 × 4 =$ ☐

$329 × 40 =$ ☐

4 $487 × 6 =$ ☐

$487 × 60 =$ ☐

5 $572 × 5 =$ ☐

$572 × 50 =$ ☐

6 $624 × 2 =$ ☐

$624 × 20 =$ ☐

7 $719 × 4 =$ ☐

$719 × 40 =$ ☐

8 $818 × 3 =$ ☐

$818 × 30 =$ ☐

🐙 계산을 하세요.

9

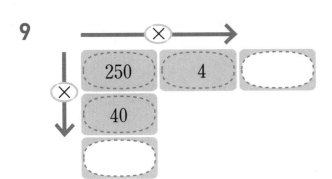

10

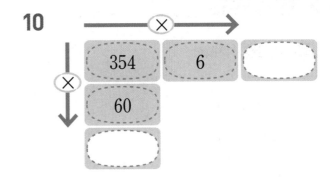

11

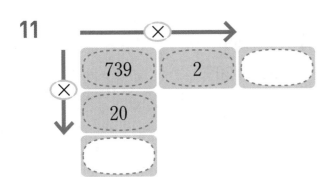

12

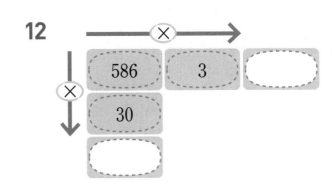

13

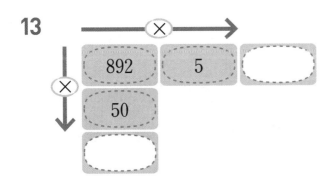

14

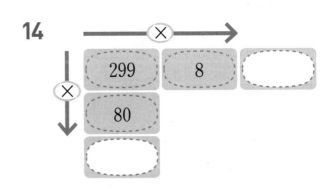

15

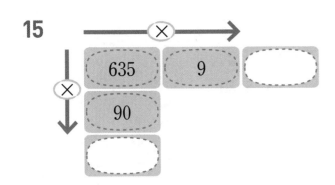

16

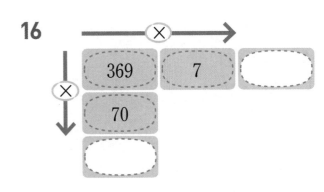

3단계 곱셈

2. (세 자리 수)×(몇십)

 계산을 하세요.

1 395×2
395×20

2 925×4
925×40

3 320×5
320×50

4 624×5
624×50

5 529×4
529×40

6 694×2
694×20

7 732×7
732×70

8 264×8
264×80

9 817×2
817×20

10 634×3
634×30

🐙 계산을 하세요.

11

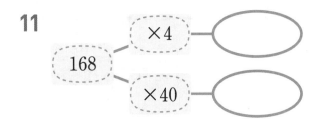

12

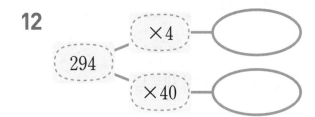

13

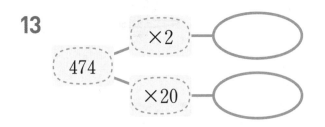

14

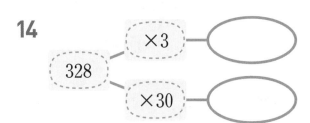

15

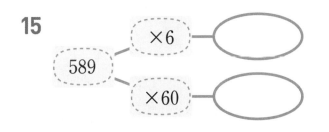

16

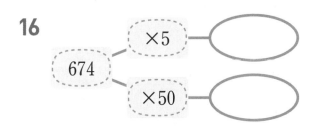

17

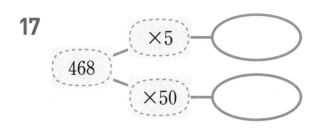

18

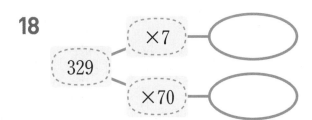

◎ 3단계 곱셈

2. (세 자리 수)×(몇십)

예 382×20의 세로셈

```
      3  8  2
   ×     2  0 ──── 0은 그대로 내려 써!
   ─────────────
   7  6  4  0
```

382×2=764

(세 자리 수)×(몇십)의 세로셈에서는
(세 자리 수)×(몇)을 계산하고
0을 그대로 내려 써!

🐙 계산을 하세요.

1
```
      4  5  3
   ×     2  0
   ─────────────
   9  0  6  0
```
453×2의 계산 결과를 쓰면 돼!

2
```
      9  2  5
   ×     4  0
   ─────────────
```

3
```
      9  1  6
   ×     4  0
   ─────────────
```

4
```
      6  7  2
   ×     4  0
   ─────────────
```

5
```
      7  3  5
   ×     9  0
   ─────────────
```

6
```
      2  5  0
   ×     6  0
   ─────────────
```

7
```
      5  8  4
   ×     2  0
   ─────────────
```

8
```
      3  7  4
   ×     8  0
   ─────────────
```

9
```
      1  8  9
   ×     6  0
   ─────────────
```

🐙 여러 가지 간식의 열량을 보고 주어진 양의 열량은 모두 몇 kcal인지 구하세요.

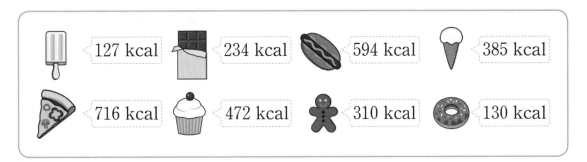

127 kcal   234 kcal   594 kcal   385 kcal

716 kcal   472 kcal   310 kcal   130 kcal

10
40개

```
    1 2 7
  ×   4 0
─────────── (kcal)
```

열량을 나타내는 단위로
킬로칼로리라고 읽어.

11
70개

```
    3 1 0
  ×   7 0
─────────── (kcal)
```

12
20개

```
    4 7 2
  ×   2 0
─────────── (kcal)
```

13
60개

```
    3 8 5
  ×   6 0
─────────── (kcal)
```

14
30개

```
    7 1 6
  ×   3 0
─────────── (kcal)
```

15
40개

```
    5 9 4
  ×   4 0
─────────── (kcal)
```

16
90개

```
    1 3 0
  ×   9 0
─────────── (kcal)
```

17
70개

```
    2 3 4
  ×   7 0
─────────── (kcal)
```

◎ 3단계 곱셈

2. (세 자리 수)×(몇십)

🐙 계산을 하세요.

1

```
    2 4 5
  ×   4 0
```

2

```
    5 2 9
  ×   8 0
```

3

```
    7 7 3
  ×   4 0
```

4

```
    7 3 6
  ×   5 0
```

5

```
    3 5 8
  ×   3 0
```

6

```
    5 4 3
  ×   6 0
```

7

```
    6 3 7
  ×   7 0
```

8

```
    7 5 0
  ×   2 0
```

9

```
    9 2 5
  ×   4 0
```

10

```
    4 5 8
  ×   6 0
```

11

```
    1 9 4
  ×   9 0
```

12

```
    5 2 3
  ×   8 0
```

13

```
    3 9 4
  ×   5 0
```

14

```
    6 0 6
  ×   8 0
```

15

```
    7 1 8
  ×   7 0
```

🐙 친구들이 들고 있는 종이에 적힌 곱셈식의 계산을 하세요.

16

```
    4 7 2
  ×   2 0
```

(   )

17

```
    7 6 0
  ×   8 0
```

(   )

18

```
    6 4 6
  ×   3 0
```

(   )

19

```
    5 4 2
  ×   7 0
```

(   )

20

```
    9 8 3
  ×   6 0
```

(   )

21

```
    4 5 3
  ×   9 0
```

(   )

💡 생활 속 연산

오른쪽은 지훈이네 형의 주민등록증입니다. 오늘이 2021년 12월 31일이면 지훈이 형은 오늘까지 며칠을 산 셈인지 구하세요. (1년은 365일로 계산합니다.)

$$365 \times 20 = \boxed{} (일)$$

주민등록증

이지원 (李智元)

020101-×××××××

서울특별시 ○○구 ○○로

○○○○. ○○. ○○

서울특별시 ○○구청장

◎ 3단계 곱셈

3. (세 자리 수)×(두 자리 수)

예 263×24의 계산

```
      2  6  3
  ×      2  4
  1  0  5  2   ← 263×4
  5  2  6  0   ← 263×20
  6  3  1  2   ← 1052＋5260
```

곱하는 두 자리 수를 일의 자리 수와 십의 자리 수로 각각 나누어서 계산해!

🐙 계산을 하세요.

1
```
      3  6  2
  ×      4  2
      7  2  4   ←362×2
  1  4  4  8   ←362×40
  1  5  2  0  4   ←두 수의 합
```

2
```
      4  5  0
  ×      8  3
```

3
```
      2  4  6
  ×      3  1
```

4
```
      7  7  4
  ×      2  9
```

5
```
      1  6  9
  ×      6  3
```

6
```
      5  9  0
  ×      7  8
```

🐙 계산을 하세요.

7 249
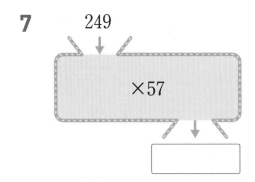

8 364
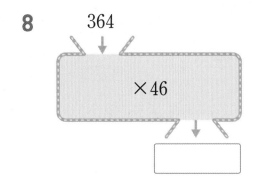

9 538
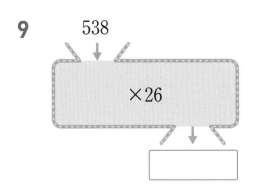

10 167
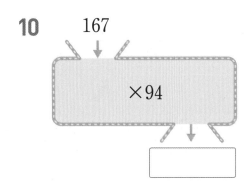

11 681
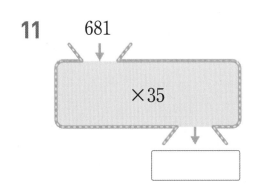

12 377
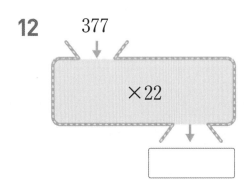

13 184
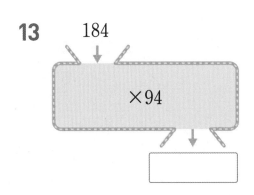

14 756
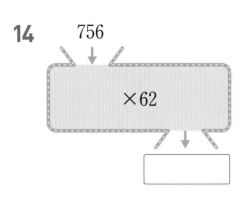

3. (세 자리 수)×(두 자리 수)

 계산을 하세요.

1

```
      2 7 8
  ×     4 4
```

2

```
      5 4 1
  ×     3 8
```

3

```
      4 5 9
  ×     2 6
```

4

```
      8 1 9
  ×     1 2
```

5

```
      4 6 2
  ×     4 3
```

6

```
      2 9 4
  ×     7 3
```

7

```
      6 4 5
  ×     8 2
```

8

```
      5 3 5
  ×     5 5
```

9

```
      1 7 9
  ×     7 6
```

10

```
      5 1 9
  ×     2 7
```

11

```
      3 6 7
  ×     5 4
```

12

```
      7 3 5
  ×     3 5
```

🐙 두 수의 곱을 구하세요.

13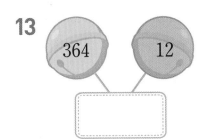

14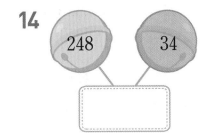

15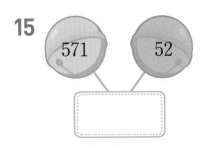

16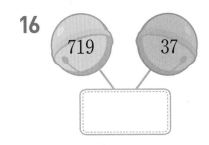

17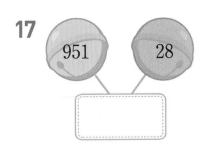

18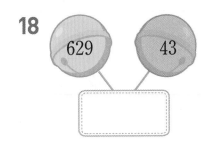

19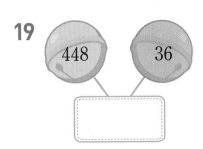

20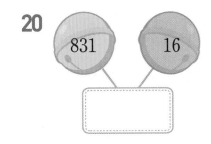

21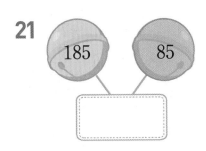

22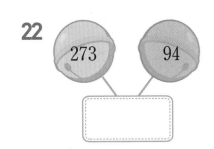

◎ 3단계 곱셈

3. (세 자리 수)×(두 자리 수)

🐙 계산을 하세요.

1

```
      3 7 8
  ×     1 5
```

2

```
      7 1 9
  ×     3 2
```

3

```
      5 5 2
  ×     4 1
```

4

```
      4 8 2
  ×     7 4
```

5

```
      6 9 3
  ×     5 3
```

6

```
      9 2 4
  ×     2 6
```

7

```
      8 2 4
  ×     3 3
```

8

```
      1 6 8
  ×     6 5
```

9

```
      3 2 9
  ×     7 3
```

10

```
      5 1 4
  ×     4 3
```

11

```
      4 7 2
  ×     8 2
```

12

```
      6 2 7
  ×     1 9
```

수달이와 친구들이 훌라후프를 모두 몇 번 했는지 구하세요.

13

> 훌라후프를 하루에
> 175번씩 24일 동안 했어.

식 $175 \times 24 = 4200$

답   4200번

14

> 훌라후프를 하루에
> 297번씩 19일 동안 했어.

식

답

15

> 훌라후프를 하루에
> 612번씩 45일 동안 했어.

식

답

16

> 훌라후프를 하루에
> 509번씩 32일 동안 했어.

식

답

17

> 훌라후프를 하루에
> 637번씩 21일 동안 했어.

식

답

18

> 훌라후프를 하루에
> 725번씩 53일 동안 했어.

식

답

 3단계 곱셈

3. (세 자리 수)×(두 자리 수)

🐙 계산을 하세요.

1 263×18

2 495×34

3 528×46

4 186×95

5 907×38

6 817×49

7 584×17

8 664×28

9 716×27

10 651×73

11 745×36

12 328×39

13 943×67

14 649×28

🐙 계산 결과를 찾아 선으로 이으세요.

15

194×63　·　　·　7350

416×75　·　　·　31200

345×28　·　　·　9660

294×25　·　　·　12222

16

624×18　·　　·　9695

573×42　·　　·　11232

277×35　·　　·　24066

482×39　·　　·　18798

◎ 3단계 곱셈

3. (세 자리 수)×(두 자리 수)

🐙 계산을 하세요.

1 318×42

2 564×82

3 267×35

4 728×54

5 907×53

6 816×32

7 439×72

8 238×94

9 824×29

10 593×68

11 125×85

12 412×84

13 730×16

14 453×78

🐙 계산을 하세요.

15 274×61 ◯

16 353×84 ◯

17 791×39 ◯

18 590×53 ◯

19 168×74 ◯

20 467×96 ◯

21 851×18 ◯

22 982×28 ◯

23 905×18 ◯

24 167×49 ◯

💡 **생활 속 연산**

어느 디저트 가게에서는 마카롱을 하루에 120개씩 만듭니다. 5월 한 달 동안 쉬지 않고 마카롱을 만들었다면 만든 마카롱은 모두 몇 개인지 구하세요. (5월 한 달은 31일입니다.)

$$120 \times 31 = \boxed{} \text{(개)}$$

◎ 3단계 곱셈

마무리 연산

🐙 계산을 하세요.

1
```
    5 0 0
  ×   8 0
```

2
```
    3 0 0
  ×   6 0
```

3
```
    7 0 0
  ×   4 0
```

4
```
    3 0 0
  ×   4 0
```

5
```
    6 0 0
  ×   5 0
```

6
```
    9 0 0
  ×   4 0
```

7
```
    4 2 6
  ×   7 0
```

8
```
    7 6 4
  ×   2 0
```

9
```
    3 5 8
  ×   6 0
```

10
```
    1 3 9
  ×   6 0
```

11
```
    9 2 4
  ×   3 0
```

12
```
    6 9 0
  ×   4 0
```

🐙 계산을 하세요.

13 500×30

14 200×90

15 700×40

16 300×70

17 400×80

18 300×90

19 800×30

20 600×60

21 167×90

22 613×70

23 570×80

24 358×50

25 278×60

26 921×40

DAY

14

◎ 3단계 곱셈

마무리 연산

🐙 계산을 하세요.

1
```
    6 2 7
  ×   1 2
```

2
```
    3 2 8
  ×   2 4
```

3
```
    4 7 0
  ×   8 5
```

4
```
    2 6 9
  ×   6 8
```

5
```
    7 1 6
  ×   5 4
```

6
```
    5 7 3
  ×   9 4
```

7
```
    3 9 2
  ×   4 6
```

8
```
    2 8 4
  ×   3 7
```

9
```
    4 8 3
  ×   1 9
```

10
```
    1 5 6
  ×   8 2
```

11
```
    6 4 5
  ×   7 3
```

12
```
    5 0 4
  ×   6 6
```

🐙 계산을 하세요.

13 153×29

14 934×16

15 832×41

16 478×41

17 726×49

18 372×75

19 294×79

20 832×24

21 632×25

22 318×57

23 527×47

24 238×64

25 871×15

26 741×28

4

나눗셈

꾸준하게 풀면 어느새
연산 실력이 엄청 향상되어
있을 거야!

학습 결과와 시간을 써 보세요!

학습 내용	학습 회차	맞힌 개수/걸린 시간
1. 나머지가 없는 몇십으로 나누기	DAY 01	/
	DAY 02	/
	DAY 03	/
2. 나머지가 있는 몇십으로 나누기	DAY 04	/
	DAY 05	/
	DAY 06	/
3. 나머지가 없는 (두 자리 수)÷(두 자리 수)	DAY 07	/
	DAY 08	/
	DAY 09	/
	DAY 10	/
4. 나머지가 있는 (두 자리 수)÷(두 자리 수)	DAY 11	/
	DAY 12	/
	DAY 13	/
	DAY 14	/
5. 나머지가 없고 몫이 한 자리 수인 (세 자리 수)÷(두 자리 수)	DAY 15	/
	DAY 16	/
	DAY 17	/
	DAY 18	/
6. 나머지가 있고 몫이 한 자리 수인 (세 자리 수)÷(두 자리 수)	DAY 19	/
	DAY 20	/
	DAY 21	/
	DAY 22	/
7. 나머지가 없고 몫이 두 자리 수인 (세 자리 수)÷(두 자리 수)	DAY 23	/
	DAY 24	/
	DAY 25	/
	DAY 26	/
8. 나머지가 있고 몫이 두 자리 수인 (세 자리 수)÷(두 자리 수)	DAY 27	/
	DAY 28	/
	DAY 29	/
	DAY 30	/
마무리 연산	DAY 31	/
	DAY 32	/

하나 둘!
하나 둘!

🎯 **4단계** 나눗셈

1. 나머지가 없는 몇십으로 나누기

예 120÷40의 계산

$$120 \div 40 = 3$$

$$12 \div 4 = 3$$

똑같이 0을 지워서 생각해.

120÷40의 몫은
12÷4의 몫과 같아.

🐙 ☐ 안에 알맞은 수를 써넣으세요.

1 $9 \div 3 = \boxed{}$

$90 \div 30 = \boxed{}$

9÷3의 몫과
90÷30의 몫이 같아!

2 $45 \div 5 = \boxed{}$

$450 \div 50 = \boxed{}$

3 $40 \div 8 = \boxed{}$

$400 \div 80 = \boxed{}$

4 $24 \div 6 = \boxed{}$

$240 \div 60 = \boxed{}$

5 $54 \div 9 = \boxed{}$

$540 \div 90 = \boxed{}$

6 $42 \div 7 = \boxed{}$

$420 \div 70 = \boxed{}$

7 $20 \div 5 = \boxed{}$

$200 \div 50 = \boxed{}$

8 $72 \div 8 = \boxed{}$

$720 \div 80 = \boxed{}$

🐙 계산을 하세요.

9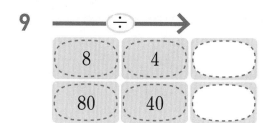

10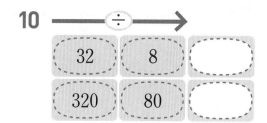

11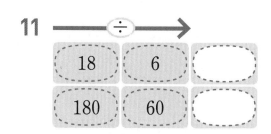

12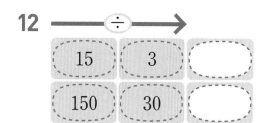

13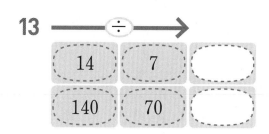

14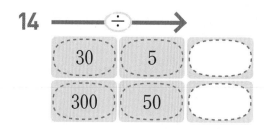

15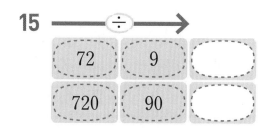

16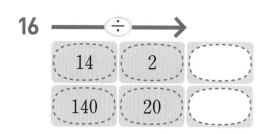

17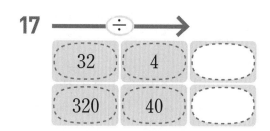

18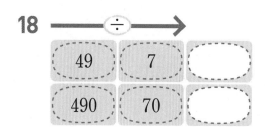

🎯 4단계 나눗셈

1. 나머지가 없는 몇십으로 나누기

🐙 계산을 하세요.

1

$$\begin{array}{r} 3 \\ 20\overline{)60} \\ 60 \\ \hline 0 \end{array}$$

2

$$50\overline{)400}$$

3

$$70\overline{)280}$$

4

$$30\overline{)120}$$

5

$$90\overline{)630}$$

6

$$40\overline{)160}$$

7

$$60\overline{)540}$$

8

$$80\overline{)480}$$

9

$$50\overline{)150}$$

10

$$30\overline{)180}$$

11

$$40\overline{)200}$$

12

$$90\overline{)720}$$

13

$$70\overline{)630}$$

14

$$20\overline{)140}$$

15

$$60\overline{)240}$$

🐙 계산을 하세요.

16 280÷40 ◯

17 240÷80 ◯

18 420÷70 ◯

19 450÷90 ◯

20 350÷50 ◯

21 120÷20 ◯

22 540÷90 ◯

23 350÷70 ◯

24 640÷80 ◯

25 360÷90 ◯

26 270÷30 ◯

27 210÷70 ◯

◎ 4단계 나눗셈

1. 나머지가 없는 몇십으로 나누기

🐙 계산을 하세요.

1 $60 \div 30$

2 $360 \div 60$

3 $210 \div 70$

4 $280 \div 40$

5 $180 \div 90$

6 $450 \div 50$

7 $240 \div 80$

8 $490 \div 70$

9 $240 \div 40$

10 $180 \div 20$

11 $540 \div 60$

12 $120 \div 30$

13 $400 \div 50$

14 $320 \div 80$

🐙 계산을 하세요.

15

$80 \div 40$

16

$560 \div 80$

17
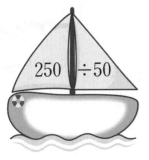
$250 \div 50$

18

$480 \div 60$

19

$360 \div 90$

20
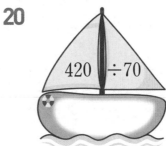
$420 \div 70$

21

$270 \div 30$

22
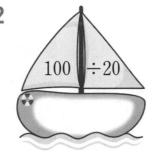
$100 \div 20$

23

$160 \div 80$

24

$350 \div 50$

◎ 4단계 나눗셈

2. 나머지가 있는 몇십으로 나누기

예 162÷30의 계산

$30 \times 4 = 120$
$30 \times 5 = 150$
$30 \times 6 = 180$

$$30 \overline{)162}$$
5 ← 몫
150
12 ← 나머지

162는 150보다 크고 180보다 작으므로 162÷30의 몫은 5야.

나눗셈식 $162 \div 30 = 5 \cdots 12$ 확인 $30 \times 5 = 150, 150 + 12 = 162$

🐙 계산을 하세요.

1

$$20 \overline{)94}$$
4
80
14

2

$$40 \overline{)85}$$

3

$$30 \overline{)93}$$

4

$$90 \overline{)600}$$

5

$$70 \overline{)290}$$

6

$$20 \overline{)110}$$

7

$$50 \overline{)270}$$

8

$$60 \overline{)295}$$

9

$$80 \overline{)414}$$

🐙 ☐ 안에 몫을 쓰고, ◯ 안에 나머지를 써넣으세요.

10
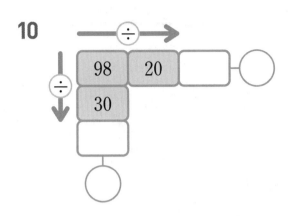

11
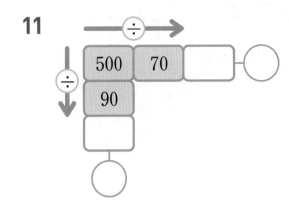

12
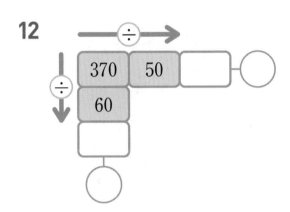

13
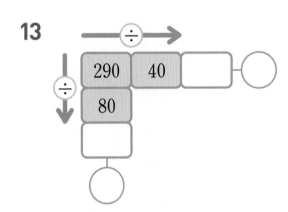

14
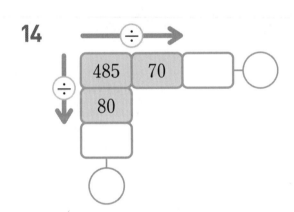

15
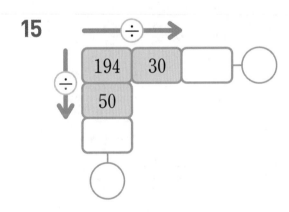

16
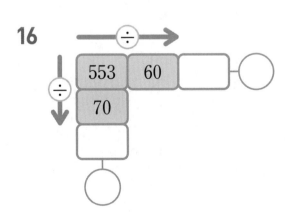

17
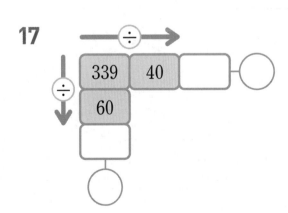

◎ 4단계 나눗셈

2. 나머지가 있는 몇십으로 나누기

🐙 계산을 하세요.

1 20)90

2 20)52

3 40)97

4 70)400

5 90)800

6 60)400

7 50)390

8 30)220

9 80)380

10 60)516

11 20)194

12 50)425

13 70)527

14 40)203

15 90)312

🐙 계산을 하세요.

16 $70 \div 30$

몫 (   )
나머지 (   )

17 $650 \div 90$

몫 (   )
나머지 (   )

18 $284 \div 40$

몫 (   )
나머지 (   )

19 $423 \div 50$

몫 (   )
나머지 (   )

20 $600 \div 80$

몫 (   )
나머지 (   )

21 $643 \div 70$

몫 (   )
나머지 (   )

22 $166 \div 20$

몫 (   )
나머지 (   )

23 $463 \div 90$

몫 (   )
나머지 (   )

24 $194 \div 30$

몫 (   )
나머지 (   )

25 $348 \div 50$

몫 (   )
나머지 (   )

🎯 4단계 나눗셈

2. 나머지가 있는 몇십으로 나누기

🐙 계산을 하세요.

1 $90 \div 40$

2 $76 \div 20$

3 $200 \div 60$

4 $500 \div 90$

5 $420 \div 50$

6 $270 \div 70$

7 $706 \div 90$

8 $205 \div 30$

9 $374 \div 60$

10 $164 \div 20$

11 $221 \div 40$

12 $359 \div 70$

13 $182 \div 50$

14 $763 \div 80$

원우네 과일 가게에서 과일을 상자에 나누어 담으려고 합니다. 각 과일을 몇 상자까지 담을 수 있고, 몇 개가 남는지 구하세요.

190개　167개　374개　295개　421개　348개

15 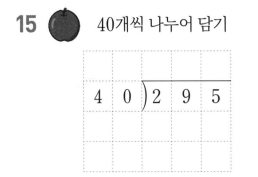 40개씩 나누어 담기

```
4 0 ) 2 9 5
```

[　]상자까지 담고 [　]개가 남음

16 80개씩 나누어 담기

```
8 0 ) 3 7 4
```

[　]상자까지 담고 [　]개가 남음

17 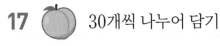 30개씩 나누어 담기

[　]상자까지 담고 [　]개가 남음

18  50개씩 나누어 담기

[　]상자까지 담고 [　]개가 남음

19 60개씩 나누어 담기

[　]상자까지 담고 [　]개가 남음

20 20개씩 나누어 담기

[　]상자까지 담고 [　]개가 남음

◎ 4단계 나눗셈

3. 나머지가 없는 (두 자리 수)÷(두 자리 수)

예 72÷12의 계산

```
         5    몫을 1 크게      6    몫을 1 작게      7
    12 ) 7 2          12 ) 7 2          12 ) 7 2
        6 0                7 2                8 4
        1 2                  0          뺄 수 없어.
 나머지가 나누는 수와 같아.
```

나머지는 나누는 수보다
작아야 해.

나눗셈식 72÷12=6   확인 12×6=72

🐙 계산을 하세요.

1
```
2 3 ) 6 9
```

2
```
4 1 ) 8 2
```

3
```
1 7 ) 8 5
```

4
```
3 9 ) 7 8
```

5
```
2 8 ) 5 6
```

6
```
1 2 ) 9 6
```

7
```
2 2 ) 8 8
```

8
```
3 1 ) 9 3
```

9
```
2 6 ) 5 2
```

🐙 계산을 하세요.

10
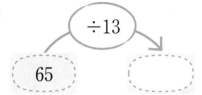

11
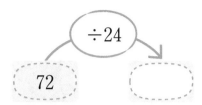

12
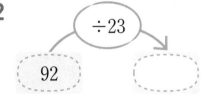

13
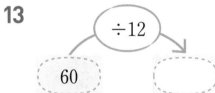

14
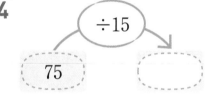

15
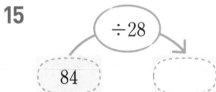

16
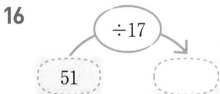

17
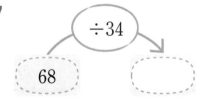

18
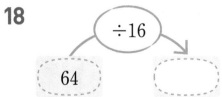

19

4단계 나눗셈

3. 나머지가 없는 (두 자리 수)÷(두 자리 수)

🐙 계산을 하세요.

1 15)60

2 13)78

3 17)85

4 27)81

5 49)98

6 21)63

7 36)72

8 14)70

9 17)68

10 12)72

11 29)58

12 16)96

13 18)36

14 35)70

15 22)88

🐙 사탕을 똑같이 나누어 주려고 합니다. 나눗셈을 하여 몇 명에게 나누어 줄 수 있는지 구하세요.

16 52개를 한 사람에 13개씩

$1\ 3\,)\overline{5\ 2}$

(   )

17 75개를 한 사람에 25개씩

$2\ 5\,)\overline{7\ 5}$

(   )

18 95개를 한 사람에 19개씩

$1\ 9\,)\overline{9\ 5}$

(   )

19 84개를 한 사람에 12개씩

$1\ 2\,)\overline{8\ 4}$

(   )

20 92개를 한 사람에 23개씩

$2\ 3\,)\overline{9\ 2}$

(   )

21 90개를 한 사람에 15개씩

$1\ 5\,)\overline{9\ 0}$

(   )

🎯 4단계 나눗셈

3. 나머지가 없는 (두 자리 수)÷(두 자리 수)

🐙 계산을 하세요.

1 72÷18

2 50÷25

3 56÷14

4 76÷38

5 91÷13

6 75÷15

7 64÷16

8 96÷48

9 76÷19

10 84÷12

11 54÷18

12 70÷35

13 78÷26

14 80÷16

🐙 큰 수를 작은 수로 나눈 몫을 구하세요.

15

(　　　　　)

16

(　　　　　)

17

(　　　　　)

18

(　　　　　)

19

(　　　　　)

20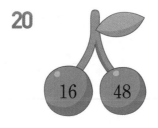

(　　　　　)

21

(　　　　　)

22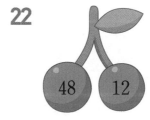

(　　　　　)

23

(　　　　　)

24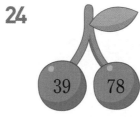

(　　　　　)

3. 나머지가 없는 (두 자리 수)÷(두 자리 수)

🐙 계산을 하세요.

1   64÷16

2   84÷28

3   72÷18

4   42÷14

5   86÷43

6   96÷24

7   96÷12

8   68÷17

9   69÷23

10   55÷11

11   57÷19

12   93÷31

13   87÷29

14   98÷14

🐙 계산을 하세요.

15
$60 \div 15$

(   )

16
$84 \div 12$

(   )

17
$46 \div 23$

(   )

18
$88 \div 22$

(   )

19
$90 \div 18$

(   )

20
$72 \div 36$

(   )

21
$78 \div 13$

(   )

22
$80 \div 16$

(   )

💡 **생활 속 연산**

혜정이는 명절에 가족과 함께 산적 꼬치 72개를 만들었습니다. 하루에 산적 꼬치를 12개씩 먹는다면 며칠 동안 먹을 수 있는지 구하세요.

(   )

4. 나머지가 있는 (두 자리 수)÷(두 자리 수)

예 65÷15의 계산

몫을 1 크게 → 4 ← 몫을 1 작게

$$
\begin{array}{r}
3 \\
15\,\overline{)\,65} \\
45 \\
\hline
20
\end{array}
\qquad
\begin{array}{r}
4 \\
15\,\overline{)\,65} \\
60 \\
\hline
5
\end{array}
\qquad
\begin{array}{r}
5 \\
15\,\overline{)\,65} \\
75 \\
\hline
\end{array}
$$

나머지가 나누는 수보다 커.   5   뺄 수 없어.

(두 자리 수)÷(두 자리 수)의 몫은 9를 넘을 수 없어.

나눗셈식 65÷15=4…5   확인 15×4=60, 60+5=65

🐙 계산을 하세요.

1
$$
\begin{array}{r}
5 \\
16\,\overline{)\,85} \\
80 \\
\hline
5
\end{array}
$$

2
$$
23\,\overline{)\,95}
$$

3
$$
18\,\overline{)\,97}
$$

4
$$
34\,\overline{)\,84}
$$

5
$$
12\,\overline{)\,94}
$$

6
$$
25\,\overline{)\,61}
$$

7
$$
13\,\overline{)\,86}
$$

8
$$
27\,\overline{)\,88}
$$

9
$$
14\,\overline{)\,60}
$$

나눗셈의 몫을 왼쪽 빈칸에, 나머지를 오른쪽 빈칸에 써넣으세요.

10

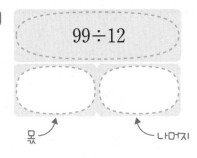

$99 \div 12$

몫   나머지

11

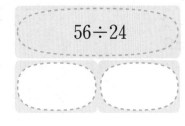

$56 \div 24$

12

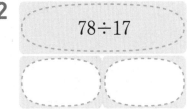

$78 \div 17$

13

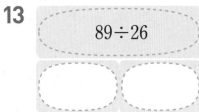

$89 \div 26$

14

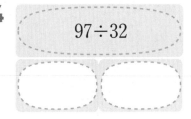

$97 \div 32$

15

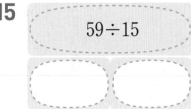

$59 \div 15$

16

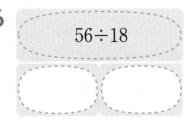

$56 \div 18$

17

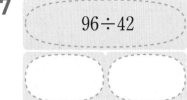

$96 \div 42$

18

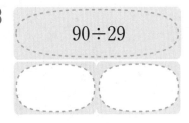

$90 \div 29$

19

$99 \div 19$

🎯 4단계 나눗셈

4. 나머지가 있는 (두 자리 수)÷(두 자리 수)

🐙 계산을 하세요.

1
$$17 \overline{)56}$$

2
$$13 \overline{)85}$$

3
$$29 \overline{)78}$$

4
$$34 \overline{)83}$$

5
$$16 \overline{)91}$$

6
$$23 \overline{)97}$$

7
$$18 \overline{)82}$$

8
$$26 \overline{)80}$$

9
$$14 \overline{)99}$$

10
$$12 \overline{)67}$$

11
$$19 \overline{)71}$$

12
$$45 \overline{)95}$$

13
$$27 \overline{)82}$$

14
$$15 \overline{)96}$$

15
$$37 \overline{)77}$$

🐙 가운데 ◆ 안의 수를 바깥의 수로 나누어 몫은 큰 원의 빈 곳에, 나머지는 ☐ 안에 써넣으세요.

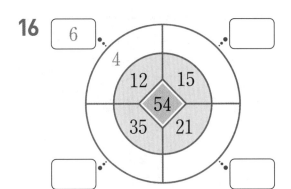

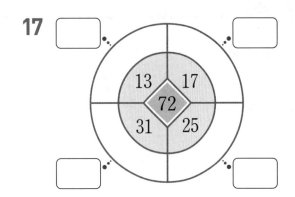

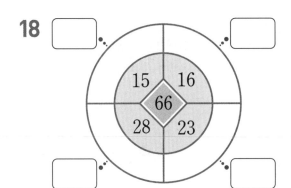

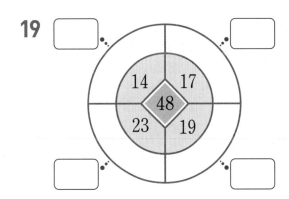

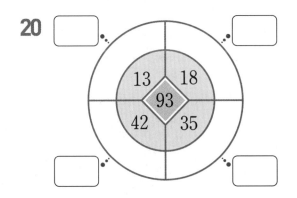

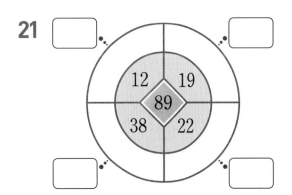

◎ 4단계 나눗셈

4. 나머지가 있는 (두 자리 수)÷(두 자리 수)

🐙 계산을 하세요.

1 $78 \div 15$

2 $59 \div 26$

3 $97 \div 24$

4 $60 \div 35$

5 $72 \div 28$

6 $79 \div 12$

7 $61 \div 13$

8 $73 \div 29$

9 $81 \div 14$

10 $74 \div 17$

11 $65 \div 27$

12 $90 \div 39$

13 $99 \div 16$

14 $71 \div 18$

🐙 큰 수를 작은 수로 나눈 몫과 나머지를 각각 쓰세요.

15
| 99   13 |

몫 (   )

나머지 (   )

16
| 29   90 |

몫 (   )

나머지 (   )

17
| 17   98 |

몫 (   )

나머지 (   )

18
| 77   18 |

몫 (   )

나머지 (   )

19
| 60   25 |

몫 (   )

나머지 (   )

20
| 13   83 |

몫 (   )

나머지 (   )

21
| 99   12 |

몫 (   )

나머지 (   )

22
| 36   95 |

몫 (   )

나머지 (   )

23
| 15   56 |

몫 (   )

나머지 (   )

4. 나머지가 있는 (두 자리 수)÷(두 자리 수)

🐙 계산을 하세요.

1 72÷13

2 82÷23

3 88÷16

4 85÷34

5 71÷27

6 80÷15

7 84÷19

8 93÷42

9 64÷13

10 77÷25

11 95÷22

12 33÷12

13 94÷28

14 83÷39

🐙 계산을 하여 몫에 ○표, 나머지에 △표 하세요.

15
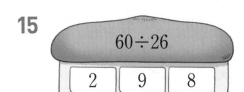
60÷26
| 2 | 9 | 8 |

16
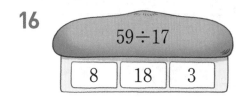
59÷17
| 8 | 18 | 3 |

17
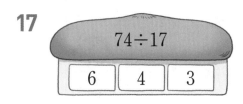
74÷17
| 6 | 4 | 3 |

18
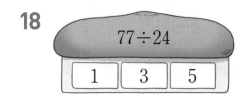
77÷24
| 1 | 3 | 5 |

19
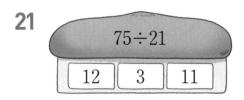
81÷15
| 4 | 5 | 6 |

20
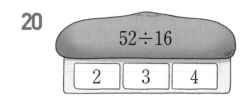
52÷16
| 2 | 3 | 4 |

21
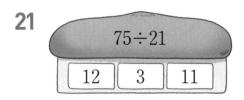
75÷21
| 12 | 3 | 11 |

22
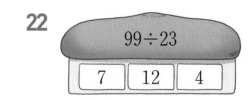
99÷23
| 7 | 12 | 4 |

23
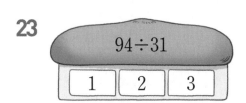
94÷31
| 1 | 2 | 3 |

24
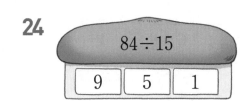
84÷15
| 9 | 5 | 1 |

4단계 나눗셈

5. 나머지가 없고 몫이 한 자리 수인 (세 자리 수)÷(두 자리 수)

예 128÷32의 계산

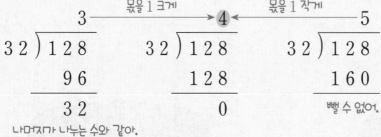

나눗셈식 128÷32=4   확인 32×4=128

계산을 하세요.

1

$21)\overline{147}$

2

$45)\overline{270}$

3

$92)\overline{552}$

4

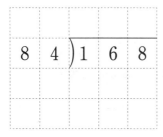

5

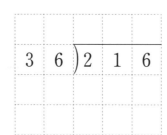

6

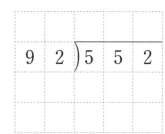

7

$84)\overline{168}$

8

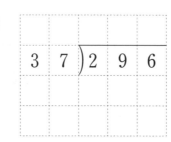

9

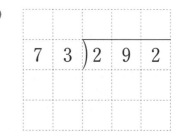

계산을 하세요.

10 108
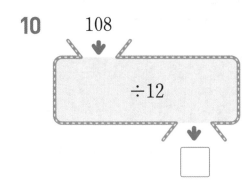
÷12
□

11 208
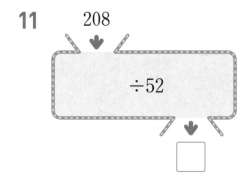
÷52
□

12 385
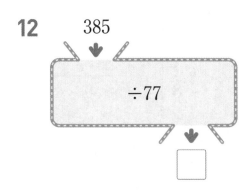
÷77
□

13 609
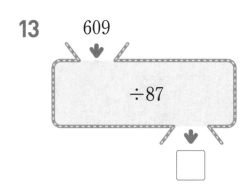
÷87
□

14 378
÷42
□

15 488
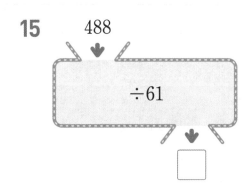
÷61
□

16 272
÷34
□

17 130
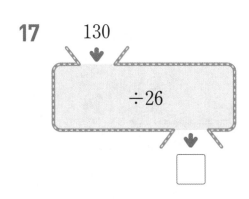
÷26
□

🎯 4단계 나눗셈

5. 나머지가 없고 몫이 한 자리 수인
(세 자리 수)÷(두 자리 수)

🐙 계산을 하세요.

1
$$53 \overline{\smash{\big)}\, 318}$$

2
$$14 \overline{\smash{\big)}\, 126}$$

3
$$67 \overline{\smash{\big)}\, 603}$$

4
$$23 \overline{\smash{\big)}\, 161}$$

5
$$72 \overline{\smash{\big)}\, 360}$$

6
$$84 \overline{\smash{\big)}\, 504}$$

7
$$32 \overline{\smash{\big)}\, 160}$$

8
$$43 \overline{\smash{\big)}\, 172}$$

9
$$35 \overline{\smash{\big)}\, 140}$$

10
$$64 \overline{\smash{\big)}\, 448}$$

11
$$29 \overline{\smash{\big)}\, 116}$$

12
$$96 \overline{\smash{\big)}\, 768}$$

13
$$19 \overline{\smash{\big)}\, 152}$$

14
$$48 \overline{\smash{\big)}\, 240}$$

15
$$83 \overline{\smash{\big)}\, 249}$$

🐙 주머니 속 구슬을 꺼내어 잰 무게를 보고 구슬 한 개의 무게를 구하세요. (단, 각 주머니 속의 구슬은 같은 무게입니다.)

16 162 g, 구슬 18개

(   )

17 189 g, 구슬 27개

(   )

18 120 g, 구슬 15개

(   )

19 138 g, 구슬 23개

(   )

20 170 g, 구슬 34개

(   )

21 114 g, 구슬 19개

(   )

22 140 g, 구슬 28개

(   )

23 245 g, 구슬 49개

(   )

4단계 나눗셈

5. 나머지가 없고 몫이 한 자리 수인 (세 자리 수)÷(두 자리 수)

🐙 계산을 하세요.

1 153÷51

2 148÷37

3 100÷25

4 120÷15

5 279÷31

6 441÷63

7 252÷28

8 136÷17

9 380÷76

10 528÷88

11 460÷92

12 322÷46

13 370÷74

14 118÷59

🐙 세 자리 수를 두 자리 수로 나눈 몫을 구하세요.

15

16

17

18

19

20

21

22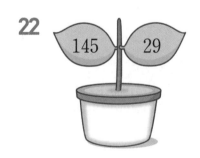

23

24

5. 나머지가 없고 몫이 한 자리 수인 (세 자리 수)÷(두 자리 수)

🐙 계산을 하세요.

1 102÷17

2 406÷58

3 192÷24

4 430÷86

5 234÷78

6 294÷98

7 558÷93

8 276÷46

9 132÷33

10 189÷63

11 208÷52

12 140÷28

13 342÷38

14 672÷84

🐙 계산을 하세요.

15  119 ÷17

16  152 ÷19

17  150 ÷25

18  138 ÷46

19  294 ÷42

20  330 ÷66

21  204 ÷51

22  204 ÷34

23  328 ÷41

24  414 ÷46

25  120 ÷24

26  212 ÷53

6. 나머지가 있고 몫이 한 자리 수인 (세 자리 수)÷(두 자리 수)

예 142÷26의 계산

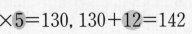

	몫을 1 크게 →	← 몫을 1 작게
4	5	6

$$26{\overline{\smash{)}142}}$$
$$104$$
$$\ 38$$

$$26{\overline{\smash{)}142}}$$
$$130$$
$$\ 12$$

$$26{\overline{\smash{)}142}}$$
$$156$$
뺄 수 없어.

나머지가 나누는 수보다 커.

확인한 식의 계산 결과가 나누어지는 수가 나오지 않으면 계산이 잘못된 거야.

나눗셈식 142÷26=5 ⋯ 12   **확인** 26×5=130, 130+12=142

🐙 계산을 하세요.

1

$$25{\overline{\smash{)}157}}$$
몫: 6
$$150$$
$$\ \ 7$$

2

$$85{\overline{\smash{)}768}}$$

3

$$59{\overline{\smash{)}128}}$$

4

$$31{\overline{\smash{)}179}}$$

5

$$36{\overline{\smash{)}336}}$$

6

$$78{\overline{\smash{)}561}}$$

🐙 ☐ 안에 몫을 쓰고, ○ 안에 나머지를 써넣으세요.

7
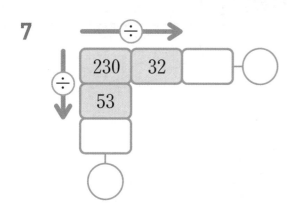

8
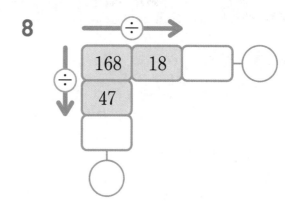

9
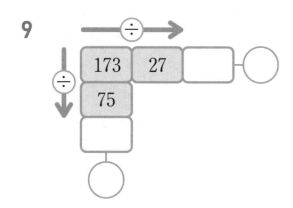

10
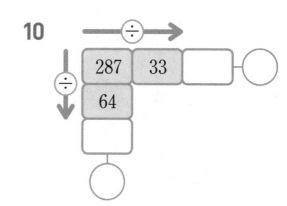

11
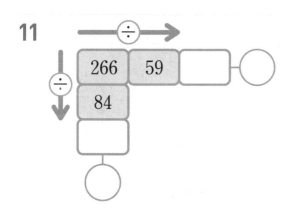

12
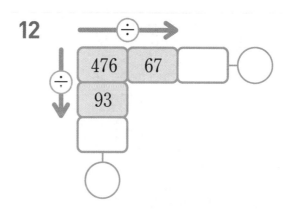

13
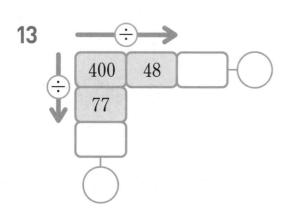

14
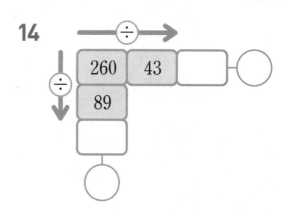

6. 나머지가 있고 몫이 한 자리 수인 (세 자리 수)÷(두 자리 수)

🐙 계산을 하세요.

1

$$35 \overline{)300}$$

2

$$62 \overline{)259}$$

3

$$46 \overline{)393}$$

4

$$19 \overline{)123}$$

5

$$54 \overline{)176}$$

6

$$82 \overline{)598}$$

7

$$24 \overline{)225}$$

8

$$38 \overline{)233}$$

9

$$73 \overline{)384}$$

10

$$69 \overline{)242}$$

🐙 몫이 같은 것끼리 선으로 이으세요.

11

$138 \div 19$	$309 \div 69$
$155 \div 27$	$272 \div 53$
$418 \div 92$	$599 \div 84$

12

$261 \div 43$	$150 \div 23$
$283 \div 86$	$300 \div 34$
$427 \div 52$	$285 \div 91$

13

$278 \div 63$	$383 \div 54$
$361 \div 45$	$318 \div 77$
$640 \div 89$	$784 \div 95$

14

$206 \div 32$	$548 \div 83$
$404 \div 44$	$598 \div 65$
$167 \div 28$	$549 \div 97$

15

$289 \div 72$	$165 \div 26$
$354 \div 57$	$201 \div 46$
$551 \div 68$	$796 \div 98$

16

$175 \div 33$	$128 \div 58$
$135 \div 41$	$196 \div 62$
$154 \div 74$	$436 \div 85$

6. 나머지가 있고 몫이 한 자리 수인
(세 자리 수)÷(두 자리 수)

🐙 계산을 하세요.

1 $220 \div 34$

2 $484 \div 53$

3 $105 \div 17$

4 $131 \div 28$

5 $456 \div 85$

6 $196 \div 62$

7 $296 \div 47$

8 $267 \div 58$

9 $700 \div 96$

10 $120 \div 38$

11 $158 \div 25$

12 $350 \div 42$

13 $571 \div 81$

14 $778 \div 94$

🐙 계산을 하세요.

15 232÷43

몫 (   )
나머지 (   )

16 328÷54

몫 (   )
나머지 (   )

17 302÷75

몫 (   )
나머지 (   )

18 541÷66

몫 (   )
나머지 (   )

19 748÷92

몫 (   )
나머지 (   )

20 263÷37

몫 (   )
나머지 (   )

21 781÷86

몫 (   )
나머지 (   )

22 189÷55

몫 (   )
나머지 (   )

23 504÷79

몫 (   )
나머지 (   )

24 243÷26

몫 (   )
나머지 (   )

🎯 4단계 나눗셈

6. 나머지가 있고 몫이 한 자리 수인 (세 자리 수)÷(두 자리 수)

🐙 계산을 하세요.

1 500÷62

2 135÷19

3 244÷36

4 210÷95

5 503÷71

6 127÷24

7 165÷45

8 450÷56

9 265÷29

10 390÷76

11 511÷82

12 480÷65

13 291÷69

14 711÷86

몫이 큰 것부터 차례로 글자를 쓰면 어떤 단어가 되는지 쓰세요.

15

리	구	너
$140 \div 59$	$113 \div 34$	$490 \div 96$

(　　　　　　　　)

16

방	소	차
$612 \div 87$	$446 \div 49$	$211 \div 35$

(　　　　　　　　)

17

파	카	알
$465 \div 66$	$170 \div 28$	$430 \div 53$

(　　　　　　　　)

18

어	금	붕
$417 \div 83$	$530 \div 75$	$255 \div 41$

(　　　　　　　　)

19

요	일	수
$279 \div 39$	$560 \div 92$	$163 \div 19$

(　　　　　　　　)

20

자	쇠	물
$289 \div 57$	$235 \div 68$	$115 \div 26$

(　　　　　　　　)

21

가	밀	루
$534 \div 85$	$562 \div 79$	$224 \div 43$

(　　　　　　　　)

22

호	신	등
$600 \div 98$	$270 \div 32$	$281 \div 55$

(　　　　　　　　)

💡 **생활 속 연산**

재원이는 학용품 꾸러미를 나누어 주는 봉사 활동에 참여했습니다. 연필 119자루를 한 사람에게 12자루씩 나누어준다면 연필을 받을 수 있는 사람은 몇 명인지 구하세요.

(　　　　　　　　)

◎ 4단계 나눗셈

7. 나머지가 없고 몫이 두 자리 수인 (세 자리 수)÷(두 자리 수)

예 552÷24의 계산

```
        2
  24 ) 5 5 2
      4 8
      ─────
        7 2
```

➡

```
        2 3
  24 ) 5 5 2
      4 8
      ─────
        7 2
        7 2
      ─────
          0
```

```
        2 3
  2 4 ) 5 5 2
```
에서 24<55이므로 몫은 두 자리 수가 돼.

나눗셈식 552÷24=23   확인 24×23=552

🐙 계산을 하세요.

1

```
            3 4
  2 6 ) 8 8 4
        7 8
        ─────
        1 0 4
        1 0 4
        ─────
            0
```

2

```
  3 5 ) 4 5 5
```

3

```
  7 9 ) 9 4 8
```

4

```
  5 8 ) 7 5 4
```

5

```
  2 3 ) 4 8 3
```

6

```
  4 1 ) 7 3 8
```

🐙 계산을 하세요.

7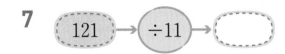

8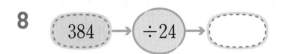

9 560 → ÷16 → ⬭

10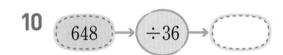

11 896 → ÷28 → ⬭

12 741 → ÷13 → ⬭

13 714 → ÷42 → ⬭

14

15 648 → ÷54 → ⬭

16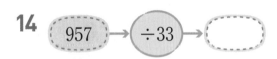

17 465 → ÷31 → ⬭

18 902 → ÷22 → ⬭

◎4단계 나눗셈

7. 나머지가 없고 몫이 두 자리 수인
(세 자리 수)÷(두 자리 수)

🐙 계산을 하세요.

1

$$26\overline{)494}$$

2

$$18\overline{)792}$$

3

$$34\overline{)816}$$

4

$$12\overline{)900}$$

5

$$21\overline{)777}$$

6

$$43\overline{)903}$$

7

$$62\overline{)868}$$

8

$$83\overline{)996}$$

9

$$19\overline{)722}$$

10

$$38\overline{)912}$$

11

$$25\overline{)700}$$

12

$$14\overline{)378}$$

🐙 동물들이 같은 빠르기로 주어진 시간 동안 뛴 거리입니다. 나눗셈을 하여 1초 동안 뛴 거리를 구하세요.

13  난 16초에 208 m 뛰었어!

$$1\,6\,)\overline{2\,0\,8}$$

(   )

14  난 38초에 798 m 뛰었어!

$$3\,8\,)\overline{7\,9\,8}$$

(   )

15 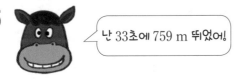 난 33초에 759 m 뛰었어!

$$3\,3\,)\overline{7\,5\,9}$$

(   )

16  난 25초에 475 m 뛰었어!

$$2\,5\,)\overline{4\,7\,5}$$

(   )

17 난 43초에 645 m 뛰었어!

$$4\,3\,)\overline{6\,4\,5}$$

(   )

18 난 48초에 816 m 뛰었어!

$$4\,8\,)\overline{8\,1\,6}$$

(   )

◎ 4단계 나눗셈

7. 나머지가 없고 몫이 두 자리 수인 (세 자리 수)÷(두 자리 수)

🐙 계산을 하세요.

1 570÷15

2 936÷36

3 756÷27

4 651÷21

5 806÷31

6 752÷47

7 832÷52

8 725÷29

9 630÷42

10 954÷18

11 924÷33

12 512÷16

13 476÷34

14 780÷65

🐙 계산을 하세요.

15
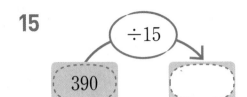

16
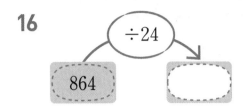

17
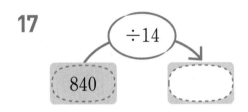

18
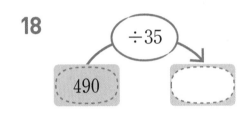

19
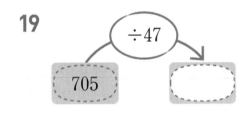

20
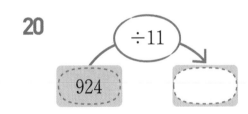

21
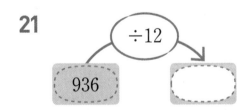

22
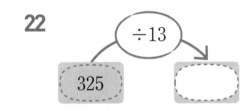

23
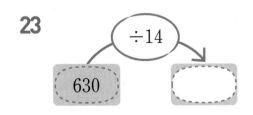

◎ 4단계 나눗셈

7. 나머지가 없고 몫이 두 자리 수인 (세 자리 수)÷(두 자리 수)

🐙 계산을 하세요.

1 529÷23

2 493÷17

3 612÷36

4 588÷42

5 675÷27

6 961÷31

7 665÷35

8 416÷16

9 528÷12

10 768÷64

11 598÷26

12 570÷15

13 624÷52

14 649÷11

🐙 계산을 하세요.

15

168　÷14

16

715　÷55

17

325　÷25

18

855　÷19

19

616　÷44

20

752　÷47

21

888　÷24

22

576　÷32

23

740　÷37

24

360　÷24

25

912　÷19

26

896　÷16

DAY 27

🎯 4단계 나눗셈

8. 나머지가 있고 몫이 두 자리 수인 (세 자리 수)÷(두 자리 수)

예 408÷16의 계산

$$
\begin{array}{r}
2 \\
16\,\overline{)\,408} \\
32 \\
\hline
88
\end{array}
$$

➡

$$
\begin{array}{r}
25 \\
16\,\overline{)\,408} \\
32 \\
\hline
88 \\
80 \\
\hline
8
\end{array}
$$

나눗셈식   408÷16=25 ⋯ 8

확인   16×25=400, 400+8=408

🐙 계산을 하세요.

1

$$
23\,\overline{)\,284}
$$

2

$$
16\,\overline{)\,572}
$$

3

$$
14\,\overline{)\,877}
$$

4

$$
19\,\overline{)\,993}
$$

🐙 [　　] 안에 몫을 쓰고, ○ 안에 나머지를 써넣으세요.

5

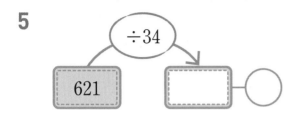

6

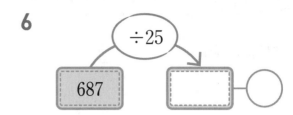

7

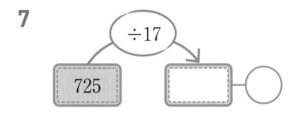

8

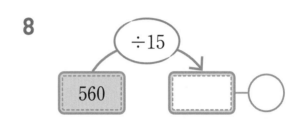

9

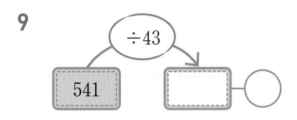

10

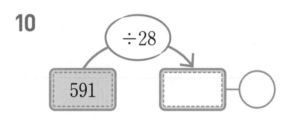

11

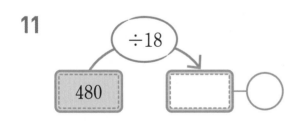

12

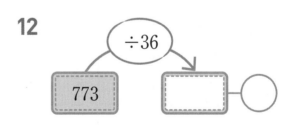

13

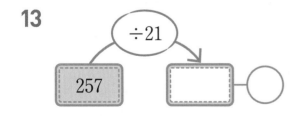

14

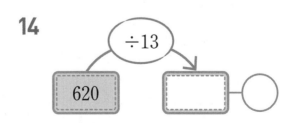

◎ 4단계 나눗셈

8. 나머지가 있고 몫이 두 자리 수인 (세 자리 수)÷(두 자리 수)

🐙 계산을 하세요.

1

$$27\overline{)654}$$

2

$$53\overline{)750}$$

3

$$38\overline{)460}$$

4

$$42\overline{)979}$$

5

$$34\overline{)870}$$

6

$$23\overline{)718}$$

7

$$15\overline{)512}$$

8

$$64\overline{)705}$$

🐙 계산을 하세요.

9

$$330 \div 13$$

몫 (   )
나머지 (   )

10

$$472 \div 24$$

몫 (   )
나머지 (   )

11

$$973 \div 28$$

몫 (   )
나머지 (   )

12

$$785 \div 49$$

몫 (   )
나머지 (   )

13

$$813 \div 19$$

몫 (   )
나머지 (   )

14

$$708 \div 35$$

몫 (   )
나머지 (   )

15

$$517 \div 31$$

몫 (   )
나머지 (   )

16

$$940 \div 25$$

몫 (   )
나머지 (   )

17

$$207 \div 12$$

몫 (   )
나머지 (   )

18

$$828 \div 58$$

몫 (   )
나머지 (   )

◎ 4단계 나눗셈

8. 나머지가 있고 몫이 두 자리 수인 (세 자리 수)÷(두 자리 수)

🐙 계산을 하세요.

1 823÷24

2 700÷57

3 585÷35

4 712÷27

5 218÷15

6 911÷31

7 426÷29

8 885÷14

9 794÷62

10 439÷22

11 768÷36

12 854÷12

13 450÷37

14 825÷48

🐙 사다리를 타고 내려간 곳에 나눗셈의 나머지를 쓰세요.

15

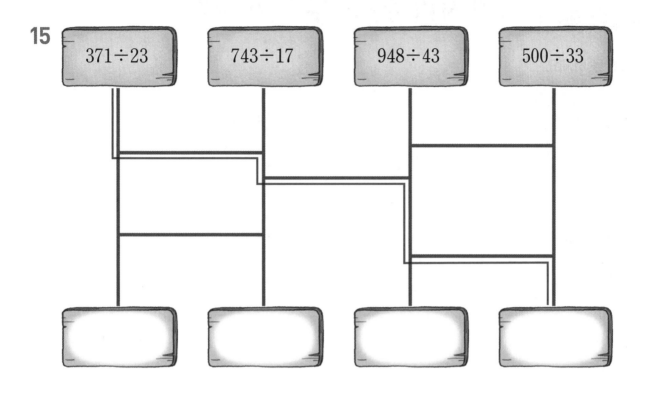

| 371÷23 | 743÷17 | 948÷43 | 500÷33 |

16

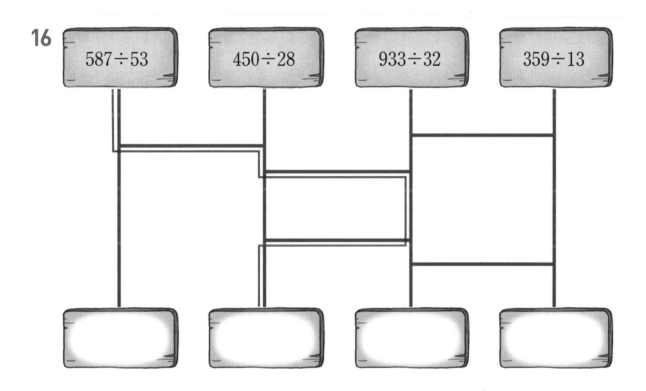

| 587÷53 | 450÷28 | 933÷32 | 359÷13 |

◎4단계 나눗셈

8. 나머지가 있고 몫이 두 자리 수인 (세 자리 수)÷(두 자리 수)

🐙 계산을 하세요.

1 962÷38

2 648÷19

3 996÷47

4 900÷28

5 768÷14

6 631÷32

7 915÷63

8 827÷73

9 630÷37

10 763÷58

11 936÷85

12 957÷68

13 711÷45

14 341÷21

🐙 나머지가 더 큰 것을 들고 있는 친구를 찾아 ○표 하세요.

15

$188 \div 15$ $760 \div 36$

(   )   (   )

16

$300 \div 24$ $591 \div 17$

(   )   (   )

17

$608 \div 43$ $486 \div 25$

(   )   (   )

18

$646 \div 39$ $912 \div 47$

(   )   (   )

19

$694 \div 12$ $744 \div 23$

(   )   (   )

20

$672 \div 54$ $867 \div 31$

(   )   (   )

21

$749 \div 67$ $950 \div 13$

(   )   (   )

22

$750 \div 48$ $881 \div 71$

(   )   (   )

💡 **생활 속 연산**

민준이는 영어 단어 320개를 하루에 15개씩 외우려고 합니다. 단어를 모두 외우려면 며칠이 걸리는지 구하세요.

(   )

◎ 4단계 나눗셈

마무리 연산

🐙 계산을 하세요.

1

$20\overline{)60}$

2

$60\overline{)540}$

3

$80\overline{)320}$

4

$40\overline{)93}$

5

$70\overline{)354}$

6

$50\overline{)340}$

7

$27\overline{)81}$

8

$32\overline{)96}$

9

$46\overline{)92}$

10

$28\overline{)84}$

11

$15\overline{)60}$

12

$18\overline{)80}$

13

$35\overline{)83}$

14

$23\overline{)75}$

15

$14\overline{)89}$

🐙 계산을 하세요.

16 $90 \div 30$

17 $350 \div 50$

18 $720 \div 90$

19 $564 \div 80$

20 $112 \div 20$

21 $261 \div 40$

22 $68 \div 34$

23 $78 \div 26$

24 $57 \div 19$

25 $76 \div 38$

26 $91 \div 43$

27 $86 \div 12$

28 $90 \div 26$

29 $99 \div 24$

◎ 4단계 나눗셈

마무리 연산

🐙 계산을 하세요.

1
  1 5 ⟌ 1 3 5

2
  2 6 ⟌ 1 8 2

3
  4 2 ⟌ 2 1 0

4
  6 3 ⟌ 2 6 0

5
  8 7 ⟌ 5 3 4

6
  5 6 ⟌ 3 0 5

7
  2 9 ⟌ 4 9 3

8
  1 9 ⟌ 4 9 4

9
  7 3 ⟌ 8 0 3

10
  4 8 ⟌ 8 6 4

11
  5 2 ⟌ 8 8 4

12
  1 7 ⟌ 6 7 3

13
  3 8 ⟌ 9 5 2

14
  1 4 ⟌ 8 3 3

15
  6 1 ⟌ 7 4 8

🐙 계산을 하세요.

16 $252 \div 63$

17 $864 \div 96$

18 $368 \div 46$

19 $225 \div 24$

20 $142 \div 32$

21 $252 \div 75$

22 $952 \div 34$

23 $275 \div 25$

24 $636 \div 53$

25 $420 \div 12$

26 $655 \div 23$

27 $936 \div 49$

28 $726 \div 37$

29 $942 \div 18$

힘수 연산으로 수학 기초 체력 UP!

이제 정답을
확인하러 가 볼까?

힘이 붙는 **수학** 연산

정답
초등 **4A**

금성출판사

차례

정답

초등 4A

하나 둘!
하나 둘!

🎯 1단계 큰 수

DAY 01 8~9쪽
1. 다섯 자리 수

1 17853	**2** 39274	**3** 20954
4 52048	**5** 71409	**6** 84210
7 16528원	**8** 52813원	**9** 22720원
10 30255원		

DAY 02 10~11쪽
1. 다섯 자리 수

1 1, 4	**2** 8, 9	**3** 7, 6
4 1, 5, 2	**5** 3, 9, 4	**6** 4, 6, 6
7 8, 2, 4	**8** 5, 5, 3	**9** 9, 0, 1
10 9, 0, 3	**11** 7, 4, 0, 0, 8	**12** 8, 9, 6, 0, 0

DAY 03 12~13쪽
1. 다섯 자리 수

1 3	**2** 1	**3** 4
4 0	**5** 4	**6** 9
7 5	**8** 5	
9 (○)( )	**10** (○)( )	
11 ( )(○)	**12** (○)( )	
13 (○)( )	**14** ( )(○)	
15 (○)( )	**16** ( )(○)	

DAY 04 14~15쪽
1. 다섯 자리 수

1 1000, 70	**2** 90000, 3	
3 10000, 9000, 50	**4** 6000, 100, 80	
5 70000, 50, 7	**6** 4000, 50, 1	
7 40000, 8000, 4	**8** 300	
9 30000	**10** 1000	**11** 4
12 40	**13** 20000	**14** 80000
15 300	**16** 6	**17** 5000

DAY 05 16~17쪽
2. 십만, 백만, 천만

1 198920	**2** 647210	**3** 650981
4 8449523	**5** 67449	**6** 123406
7 3260012	**8** 1490005	**9** 62077005
10 72090940	**11** 10061042	**12** 95126
13 4050080	**14** 73150001	**15** 30800046
16 68000506	**17** 90400003	**18** 1290204

DAY 06 18~19쪽
2. 십만, 백만, 천만

1 51	**2** 5214	**3** 12
4 3027	**5** 822	**6** 493
7 9, 9358	**8** 74, 7742	**9** 308, 645
10 6, 2182	**11** 5990	**12** 1350
13 293, 6367	**14** 336, 4358	**15** 145, 6107

DAY 07   20~21쪽

2. 십만, 백만, 천만

1 8   **2** 1   **3** 5   **4** 6

5 1   **6** 7   **7** 8   **8** 5

9 38240000   32690000   **10** 8250000   51230000

11 41600000   4870000   **12** 2603000   56270000

13 3180000   10700000   **14** 1937620   5809126

15 7129362   28370000   **16** 845700   81526009

DAY 08   22~23쪽

2. 십만, 백만, 천만

1 40000000

2 2000000, 40000

3 50000000, 600000

4 30000000, 5000000, 60000

5 4000000, 40000

6 60000000, 100000, 30000

7 80000000, 4000000, 50000

8 50000000, 300000   **9** 3000000, 70000

10 90000000, 90000   **11** 500000, 800

12 200000, 8000

DAY 09   24~25쪽

3. 억, 조

1 58921630000   **2** 248415760000

3 710780900000   **4** 65003070000

5 387400050000   **6** 903520000

7 6740840000   **8** 50000030000

9 7 / 0   **10** 8 / 5   **11** 6 / 2

12 4 / 9   **13** 1 / 1   **14** 0 / 8

15 3 / 8   **16** 2 / 6

DAY 10   26~27쪽

3. 억, 조

1 7824909937170000   **2** 6836608691300000

3 82083792470000   **4** 630701291840000

5 9097085216660000

6 7, 8   **7** 8, 6   **8** 5, 1

9 4, 8   **10** 6, 3   **11** 1, 9

DAY 11   28~29쪽

3. 억, 조

1 1301   **2** 147   **3** 873, 17

4 232, 1289   **5** 15, 9598   **6** 137, 47

7 5053   **8** 9579   **9** 529, 29

10 1035, 4293   **11** 979, 196   **12** 18, 1

3. 억, 조

1	500억, 4억	**2**	6000억, 400억
3	300억, 50억, 6억	**4**	50조
5	1000조, 90조, 4조	**6**	800조, 30조, 9조
7	900조, 4조	**8**	10000000000000
9	80000000000	**10**	200000000000000
11	500000000	**12**	60000000000
13	9000000000		

생활 속 연산 41, 300

4. 뛰어 세기

1 400000, 500000, 600000

2 468억, 488억, 498억

3 219조, 221조, 222조, 223조

4 3824조, 3924조, 4024조, 4224조

5 60000, 70000, 80000

6 85만, 95만, 115만

7 254억, 284억, 294억

8 2770조, 2780조, 2820조

9 8500억, 8700억

4. 뛰어 세기

1	1만	**2**	10억	**3**	1조
4	100억	**5**	10000씩	**6**	1억씩
7	10조씩	**8**	1000씩	**9**	100조씩
10	1000만씩				

4. 뛰어 세기

1 855600, 865600, 885600

2 5조 467억, 5조 767억, 5조 867억

3 29억 4200만, 30억 4200만, 31억 4200만

4 12조 5974만, 12조 6074만, 12조 6374만

5 4126억 2508, 6126억 2508, 8126억 2508

6 83376, 83576 / 103276

7 8037억 / 8048억, 8050억

8 1조 5700억 / 2조 5700억 / 3조 3700억

5. 수의 크기 비교하기

1	<	**2**	<	**3**	>	**4**	>
5	>	**6**	<	**7**	<	**8**	>
9	<	**10**	>				

11	(○)(　)	**12**	(　)(○)
13	(○)(　)	**14**	(○)(　)
15	(　)(○)	**16**	(○)(　)
17	(○)(　)	**18**	(○)(　)
19	(○)(　)	**20**	(　)(○)

DAY 17
5. 수의 크기 비교하기

1 <	**2** <	**3** >	**4** <
5 <	**6** >	**7** <	**8** <
9 >	**10** >	**11** >	**12** <
13 >	**14** >		

15 130억에 ○표
16 5264300에 ○표
17 64조 3억에 ○표
18 9억 105만에 ○표
19 1125400에 ○표
20 50조에 ○표
21 5318억에 ○표
22 425만에 ○표
23 931871에 ○표
24 35억 145만에 ○표

DAY 18
5. 수의 크기 비교하기

1 >	**2** <	**3** >	**4** <
5 <	**6** <	**7** >	**8** <
9 >	**10** <	**11** <	**12** >
13 >	**14** <		

15 52300 , 5926 → 52300
16 184조 2300만 , 200조 → 200조
17 4190만 , 4090만 → 4190만
18 300억 , 287억 → 300억
19 9800억 , 1조 500억 → 1조 500억
20 3072820 , 3125000 → 3125000
21 527억 120만 , 584억 3000만 → 584억 3000만
22 6억 9000만 , 15조 → 15조

생활 속 연산 화성

DAY 19
마무리 연산

1 19367
2 36091
3 9148324
4 50490217
5 2513890000
6 97060210000
7 520300700400000
8 50000
9 1000
10 20
11 30000
12 900000
13 400000
14 5000000
15 80000
16 70000000
17 8000000000
18 70000000000
19 40000000000

DAY 20
마무리 연산

1 67000, 77000
2 682만, 702만
3 3080만, 5080만, 6080만
4 8억 9550만, 9억 550만, 9억 2550만
5 2110억, 2130억, 2160억
6 1조 24억, 1조 124억, 1조 324억

7 >	**8** <	**9** <	**10** >
11 >	**12** <	**13** <	**14** <
15 >	**16** >	**17** >	**18** >
19 <	**20** >		

🎯 2단계 각도

1. 각도의 합

1	60	**2**	90	**3**	100
4	130	**5**	85	**6**	80
7	140	**8**	120	**9**	110
10	145	**11**	130	**12**	130
13	165	**14**	180	**15**	173
16	245	**17**	179	**18**	144
19	172	**20**	184		

1. 각도의 합

1	65	**2**	100	**3**	105
4	85	**5**	135	**6**	115
7	155	**8**	150	**9**	150
10	135	**11**	200	**12**	130
13	175	**14**	140	**15**	240
16	190	**17**	240	**18**	238
19	112	**20**	184	**21**	212
22	270				

1. 각도의 합

1 2 3

4 5 6

7 8

9	60°	**10**	105°	**11**	90°
12	215°	**13**	185°	**14**	145°
15	130°	**16**	177°	**17**	233°
18	132°	**19**	160°	**20**	178°

2. 각도의 차

1	50	**2**	70	**3**	45
4	90	**5**	65	**6**	60
7	40	**8**	10	**9**	55
10	70	**11**	75	**12**	35
13	45	**14**	45	**15**	75
16	45	**17**	105	**18**	58
19	56	**20**	49		

DAY 05 58~59쪽
2. 각도의 차

1	80	2	85	3	90
4	45	5	80	6	55
7	35	8	80	9	60
10	90	11	65	12	35
13	55	14	40	15	50
16	33	17	45	18	34
19	31	20	38	21	35
22	43				

DAY 06 60~61쪽
2. 각도의 차

9	110°	10	45°	11	125°
12	55°	13	80°	14	75°
15	86°	16	49°	17	61°
18	156°	19	39°		

DAY 07 62~63쪽
3. 삼각형의 세 각의 크기의 합

1	80	2	45	3	65
4	40	5	60	6	30
7	110°	8	65°	9	45°
10	60°	11	80°	12	30°
13	80°	14	40°	15	15°
16	100°				

DAY 08 64~65쪽
3. 삼각형의 세 각의 크기의 합

1	90	2	100	3	60
4	65	5	110	6	30
7	70	8	40	9	100°
10	15°	11	65°	12	40°
13	125°	14	55°	15	90°
16	50°	17	80°	18	25°

DAY 09 66~67쪽
3. 삼각형의 세 각의 크기의 합

1	30	2	80	3	90
4	80	5	85	6	40
7	100	8	110	9	35°
10	50°	11	70°	12	75°
13	75°	14	45°	15	45°
16	80°				

생활 속 연산 25°

DAY 10

68~69쪽

4. 사각형의 네 각의 크기의 합

1 60	2 70	3 85
4 55	5 105	6 120
7 95°	8 55°	9 65°
10 100°	11 125°	12 115°
13 35°	14 60°	15 105°
16 100°		

DAY 11

70~71쪽

4. 사각형의 네 각의 크기의 합

1 50	2 70	3 160
4 105	5 125	6 130
7 105	8 80	9 100°
10 100°	11 110°	12 80°
13 60°	14 105°	15 90°
16 65°	17 95°	18 110°

DAY 12

72~73쪽

4. 사각형의 네 각의 크기의 합

1 80	2 60	3 80
4 125	5 105	6 65
7 130	8 120	9 120°
10 135°	11 90°	12 145°
13 60°	14 110°	15 35°
16 95°		

생활 속 연산 100°

DAY 13

74~75쪽

마무리 연산

1 116	2 194	3 195
4 109	5 80	6 155
7 290	8 173	9 235
10 240	11 122	12 231
13 159	14 283	15 28
16 184	17 23	18 133
19 81	20 130	21 131
22 35	23 127	24 168
25 60	26 97	27 85
28 93		

DAY 14

76~77쪽

마무리 연산

1 55	2 65	3 75
4 65	5 80	6 40
7 115	8 105	9 95
10 45	11 125	12 105
13 85	14 50	15 120
16 90		

◎ 3단계 곱셈

1. (몇백)×(몇십)

1	12000	2	32000	3	63000
4	40000	5	35000	6	18000
7	36000	8	49000	9	16000
10	24000	11	24000	12	42000
13	28000	14	18000	15	20000
16	35000	17	40000	18	63000
19	24000	20	81000		

1. (몇백)×(몇십)

1	8000	2	30000	3	36000
4	32000	5	24000	6	42000
7	18000	8	15000	9	12000
10	40000	11	20000	12	27000
13	32000	14	12000	15	24000
16	9000	17	16000	18	28000
19	49000	20	40000	21	81000
22	24000	23	20000	24	54000
25	21000	26	56000		

1. (몇백)×(몇십)

1	14000	2	35000	3	30000
4	24000	5	27000	6	16000
7	18000	8	63000	9	56000
10	42000	11	16000	12	48000
13	63000	14	18000	15	20000
16	21000	17	20000	18	32000
19	56000	20	18000	21	30000
22	12000	23	45000		

2. (세 자리 수)×(몇십)

1	572, 5720	2	702, 7020
3	1316, 13160	4	2922, 29220
5	2860, 28600	6	1248, 12480
7	2876, 28760	8	2454, 24540
9	1000, 10000	10	2124, 21240
11	1478, 14780	12	1758, 17580
13	4460, 44600	14	2392, 23920
15	5715, 57150	16	2583, 25830

2. (세 자리 수)×(몇십)

1 790, 7900		**2** 3700, 37000	
3 1600, 16000		**4** 3120, 31200	
5 2116, 21160		**6** 1388, 13880	
7 5124, 51240		**8** 2112, 21120	
9 1634, 16340		**10** 1902, 19020	
11 672, 6720		**12** 1176, 11760	
13 948, 9480		**14** 984, 9840	
15 3534, 35340		**16** 3370, 33700	
17 2340, 23400		**18** 2303, 23030	

2. (세 자리 수)×(몇십)

1 9060	**2** 37000	**3** 36640
4 26880	**5** 66150	**6** 15000
7 11680	**8** 29920	**9** 11340
10 5080	**11** 21700	**12** 9440
13 23100	**14** 21480	**15** 23760
16 11700	**17** 16380	

2. (세 자리 수)×(몇십)

1 9800	**2** 42320	**3** 30920
4 36800	**5** 10740	**6** 32580
7 44590	**8** 15000	**9** 37000
10 27480	**11** 17460	**12** 41840
13 19700	**14** 48480	**15** 50260
16 9440	**17** 60800	**18** 19380
19 37940	**20** 58980	**21** 40770

생활 속 연산 7300

3. (세 자리 수)×(두 자리 수)

1
$$\begin{array}{r} 362 \\ \times\quad 42 \\ \hline 724 \\ 1448 \\ \hline 15204 \end{array}$$

2
$$\begin{array}{r} 450 \\ \times\quad 83 \\ \hline 1350 \\ 3600 \\ \hline 37350 \end{array}$$

3
$$\begin{array}{r} 246 \\ \times\quad 31 \\ \hline 246 \\ 738 \\ \hline 7626 \end{array}$$

4
$$\begin{array}{r} 774 \\ \times\quad 29 \\ \hline 6966 \\ 1548 \\ \hline 22446 \end{array}$$

5
$$\begin{array}{r} 169 \\ \times\quad 63 \\ \hline 507 \\ 1014 \\ \hline 10647 \end{array}$$

6
$$\begin{array}{r} 590 \\ \times\quad 78 \\ \hline 4720 \\ 4130 \\ \hline 46020 \end{array}$$

7 14193	**8** 16744	**9** 13988
10 15698	**11** 23835	**12** 8294
13 17296	**14** 46872	

3. (세 자리 수)×(두 자리 수)

1
$$\begin{array}{r} 278 \\ \times\ 44 \\ \hline 1112 \\ 1112 \\ \hline 12232 \end{array}$$

2
$$\begin{array}{r} 541 \\ \times\ 38 \\ \hline 4328 \\ 1623 \\ \hline 20558 \end{array}$$

3
$$\begin{array}{r} 459 \\ \times\ 26 \\ \hline 2754 \\ 918 \\ \hline 11934 \end{array}$$

4
$$\begin{array}{r} 819 \\ \times\ 12 \\ \hline 1638 \\ 819 \\ \hline 9828 \end{array}$$

5
$$\begin{array}{r} 462 \\ \times\ 43 \\ \hline 1386 \\ 1848 \\ \hline 19866 \end{array}$$

6
$$\begin{array}{r} 294 \\ \times\ 73 \\ \hline 882 \\ 2058 \\ \hline 21462 \end{array}$$

7
$$\begin{array}{r} 645 \\ \times\ 82 \\ \hline 1290 \\ 5160 \\ \hline 52890 \end{array}$$

8
$$\begin{array}{r} 535 \\ \times\ 55 \\ \hline 2675 \\ 2675 \\ \hline 29425 \end{array}$$

9
$$\begin{array}{r} 179 \\ \times\ 76 \\ \hline 1074 \\ 1253 \\ \hline 13604 \end{array}$$

10
$$\begin{array}{r} 519 \\ \times\ 27 \\ \hline 3633 \\ 1038 \\ \hline 14013 \end{array}$$

11
$$\begin{array}{r} 367 \\ \times\ 54 \\ \hline 1468 \\ 1835 \\ \hline 19818 \end{array}$$

12
$$\begin{array}{r} 735 \\ \times\ 35 \\ \hline 3675 \\ 2205 \\ \hline 25725 \end{array}$$

13 4368   **14** 8432   **15** 29692

16 26603   **17** 26628   **18** 27047

19 16128   **20** 13296   **21** 15725

22 25662

---

3. (세 자리 수)×(두 자리 수)

1
$$\begin{array}{r} 378 \\ \times\ 15 \\ \hline 1890 \\ 378 \\ \hline 5670 \end{array}$$

2
$$\begin{array}{r} 719 \\ \times\ 32 \\ \hline 1438 \\ 2157 \\ \hline 23008 \end{array}$$

3
$$\begin{array}{r} 552 \\ \times\ 41 \\ \hline 552 \\ 2208 \\ \hline 22632 \end{array}$$

4
$$\begin{array}{r} 482 \\ \times\ 74 \\ \hline 1928 \\ 3374 \\ \hline 35668 \end{array}$$

5
$$\begin{array}{r} 693 \\ \times\ 53 \\ \hline 2079 \\ 3465 \\ \hline 36729 \end{array}$$

6
$$\begin{array}{r} 924 \\ \times\ 26 \\ \hline 5544 \\ 1848 \\ \hline 24024 \end{array}$$

7
$$\begin{array}{r} 824 \\ \times\ 33 \\ \hline 2472 \\ 2472 \\ \hline 27192 \end{array}$$

8
$$\begin{array}{r} 168 \\ \times\ 65 \\ \hline 840 \\ 1008 \\ \hline 10920 \end{array}$$

9
$$\begin{array}{r} 329 \\ \times\ 73 \\ \hline 987 \\ 2303 \\ \hline 24017 \end{array}$$

10
$$\begin{array}{r} 514 \\ \times\ 43 \\ \hline 1542 \\ 2056 \\ \hline 22102 \end{array}$$

11
$$\begin{array}{r} 472 \\ \times\ 82 \\ \hline 944 \\ 3776 \\ \hline 38704 \end{array}$$

12
$$\begin{array}{r} 627 \\ \times\ 19 \\ \hline 5643 \\ 627 \\ \hline 11913 \end{array}$$

13 $175 \times 24 = 4200$, 4200번

14 $297 \times 19 = 5643$, 5643번

15 $612 \times 45 = 27540$, 27540번

16 $509 \times 32 = 16288$, 16288번

17 637×21=13377, 13377번

18 725×53=38425, 38425번

---

3. (세 자리 수)×(두 자리 수)

1 4734	**2** 16830	**3** 24288
4 17670	**5** 34466	**6** 40033
7 9928	**8** 18592	**9** 19332
10 47523	**11** 26820	**12** 12792
13 63181	**14** 18172	

15
16

---

3. (세 자리 수)×(두 자리 수)

1 13356	**2** 46248	**3** 9345
4 39312	**5** 48071	**6** 26112
7 31608	**8** 22372	**9** 23896
10 40324	**11** 10625	**12** 34608
13 11680	**14** 35334	**15** 16714
16 29652	**17** 30849	**18** 31270
19 12432	**20** 44832	**21** 15318
22 27496	**23** 16290	**24** 8183

생활 속 연산 3720

마무리 연산

1 40000	**2** 18000	**3** 28000
4 12000	**5** 30000	**6** 36000
7 29820	**8** 15280	**9** 21480
10 8340	**11** 27720	**12** 27600
13 15000	**14** 18000	**15** 28000
16 21000	**17** 32000	**18** 27000
19 24000	**20** 36000	**21** 15030
22 42910	**23** 45600	**24** 17900
25 16680	**26** 36840	

마무리 연산

1 7524	**2** 7872	**3** 39950
4 18292	**5** 38664	**6** 53862
7 18032	**8** 10508	**9** 9177
10 12792	**11** 47085	**12** 33264
13 4437	**14** 14944	**15** 34112
16 19598	**17** 35574	**18** 27900
19 23226	**20** 19968	**21** 15800
22 18126	**23** 24769	**24** 15232
25 13065	**26** 20748	

🎯 4단계 나눗셈

DAY 01 110~111쪽

1. 나머지가 없는 몇십으로 나누기

1 3, 3	2 9, 9	3 5, 5
4 4, 4	5 6, 6	6 6, 6
7 4, 4	8 9, 9	9 2, 2
10 4, 4	11 3, 3	12 5, 5
13 2, 2	14 6, 6	15 8, 8
16 7, 7	17 8, 8	18 7, 7

DAY 02 112~113쪽

1. 나머지가 없는 몇십으로 나누기

1 $20\overline{)60}$ → 3, 60, 0

2 $50\overline{)400}$ → 8, 400, 0

3 $70\overline{)280}$ → 4, 280, 0

4 $30\overline{)120}$ → 4, 120, 0

5 $90\overline{)630}$ → 7, 630, 0

6 $40\overline{)160}$ → 4, 160, 0

7 $60\overline{)540}$ → 9, 540, 0

8 $80\overline{)480}$ → 6, 480, 0

9 $50\overline{)150}$ → 3, 150, 0

10 $30\overline{)180}$ → 6, 180, 0

11 $40\overline{)200}$ → 5, 200, 0

12 $90\overline{)720}$ → 8, 720, 0

13 $70\overline{)630}$ → 9, 630, 0

14 $20\overline{)140}$ → 7, 140, 0

15 $60\overline{)240}$ → 4, 240, 0

16 7	17 3	18 6	19 5
20 7	21 6	22 6	23 5
24 8	25 4	26 9	27 3

DAY 03 114~115쪽

1. 나머지가 없는 몇십으로 나누기

1 2	2 6	3 3	4 7
5 2	6 9	7 3	8 7
9 6	10 9	11 9	12 4
13 8	14 4	15 2	16 7
17 5	18 8	19 4	20 6
21 9	22 5	23 2	24 7

2. 나머지가 있는 몇십으로 나누기

1
```
       4
20)9 4
   8 0
   1 4
```

2
```
       2
40)8 5
   8 0
     5
```

3
```
       3
30)9 3
   9 0
     3
```

4
```
         6
90)6 0 0
   5 4 0
     6 0
```

5
```
         4
70)2 9 0
   2 8 0
     1 0
```

6
```
         5
20)1 1 0
   1 0 0
     1 0
```

7
```
         5
50)2 7 0
   2 5 0
     2 0
```

8
```
         4
60)2 9 5
   2 4 0
     5 5
```

9
```
         5
80)4 1 4
   4 0 0
     1 4
```

10 4, 18 / 3, 8

11 7, 10 / 5, 50

12 7, 20 / 6, 10

13 7, 10 / 3, 50

14 6, 65 / 6, 5

15 6, 14 / 3, 44

16 9, 13 / 7, 63

17 8, 19 / 5, 39

2. 나머지가 있는 몇십으로 나누기

1
```
       4
20)9 0
   8 0
   1 0
```

2
```
       2
20)5 2
   4 0
   1 2
```

3
```
       2
40)9 7
   8 0
   1 7
```

4
```
         5
70)4 0 0
   3 5 0
     5 0
```

5
```
         8
90)8 0 0
   7 2 0
     8 0
```

6
```
         6
60)4 0 0
   3 6 0
     4 0
```

7
```
         7
50)3 9 0
   3 5 0
     4 0
```

8
```
         7
30)2 2 0
   2 1 0
     1 0
```

9
```
         4
80)3 8 0
   3 2 0
     6 0
```

10
```
         8
60)5 1 6
   4 8 0
     3 6
```

11
```
         9
20)1 9 4
   1 8 0
     1 4
```

12
```
         8
50)4 2 5
   4 0 0
     2 5
```

13
```
         7
70)5 2 7
   4 9 0
     3 7
```

14
```
         5
40)2 0 3
   2 0 0
       3
```

15
```
         3
90)3 1 2
   2 7 0
     4 2
```

16 2, 10	**17** 7, 20
18 7, 4	**19** 8, 23
20 7, 40	**21** 9, 13
22 8, 6	**23** 5, 13
24 6, 14	**25** 6, 48

18 / 6, 48

```
              6
    5 0 ) 3 4 8
          3 0 0
              4 8
```

19 / 7, 1

```
              7
    6 0 ) 4 2 1
          4 2 0
                1
```

20 / 8, 7

```
              8
    2 0 ) 1 6 7
          1 6 0
                7
```

DAY 06 120~121쪽

2. 나머지가 있는 몇십으로 나누기

1 2 ⋯ 10	**2** 3 ⋯ 16
3 3 ⋯ 20	**4** 5 ⋯ 50
5 8 ⋯ 20	**6** 3 ⋯ 60
7 7 ⋯ 76	**8** 6 ⋯ 25
9 6 ⋯ 14	**10** 8 ⋯ 4
11 5 ⋯ 21	**12** 5 ⋯ 9
13 3 ⋯ 32	**14** 9 ⋯ 43

15 / 7, 15

```
              7
    4 0 ) 2 9 5
          2 8 0
              1 5
```

16 / 4, 54

```
              4
    8 0 ) 3 7 4
          3 2 0
              5 4
```

17 / 6, 10

```
              6
    3 0 ) 1 9 0
          1 8 0
              1 0
```

DAY 07 122~123쪽

3. 나머지가 없는 (두 자리 수)÷(두 자리 수)

1
```
            3
  2 3 ) 6 9
        6 9
          0
```

2
```
            2
  4 1 ) 8 2
        8 2
          0
```

3
```
            5
  1 7 ) 8 5
        8 5
          0
```

4
```
            2
  3 9 ) 7 8
        7 8
          0
```

5
```
            2
  2 8 ) 5 6
        5 6
          0
```

6
```
            8
  1 2 ) 9 6
        9 6
          0
```

7

$$22)\overline{88}$$ quotient 4, 88, 0

8

$$31)\overline{93}$$ quotient 3, 93, 0

9

$$26)\overline{52}$$ quotient 2, 52, 0

10 5 **11** 3 **12** 4

13 5 **14** 5 **15** 3

16 3 **17** 2 **18** 4

19 3

9

$$17)\overline{68}$$ quotient 4, 68, 0

10

$$12)\overline{72}$$ quotient 6, 72, 0

11

$$29)\overline{58}$$ quotient 2, 58, 0

12

$$16)\overline{96}$$ quotient 6, 96, 0

13

$$18)\overline{36}$$ quotient 2, 36, 0

14

$$35)\overline{70}$$ quotient 2, 70, 0

15

$$22)\overline{88}$$ quotient 4, 88, 0

16 4 / 4명 **17** 3 / 3명 **18** 5 / 5명

19 7 / 7명 **20** 4 / 4명 **21** 6 / 6명

---

3. 나머지가 없는 (두 자리 수)÷(두 자리 수)

1

$$15)\overline{60}$$ quotient 4, 60, 0

2

$$13)\overline{78}$$ quotient 6, 78, 0

3

$$17)\overline{85}$$ quotient 5, 85, 0

4

$$27)\overline{81}$$ quotient 3, 81, 0

5

$$49)\overline{98}$$ quotient 2, 98, 0

6

$$21)\overline{63}$$ quotient 3, 63, 0

7

$$36)\overline{72}$$ quotient 2, 72, 0

8

$$14)\overline{70}$$ quotient 5, 70, 0

---

3. 나머지가 없는 (두 자리 수)÷(두 자리 수)

1 4   **2** 2   **3** 4

4 2   **5** 7   **6** 5

7 4   **8** 2   **9** 4

10 7   **11** 3   **12** 2

13 3   **14** 5   **15** 6

16 3   **17** 2   **18** 5

19 5   **20** 3   **21** 2

22 4   **23** 6   **24** 2

DAY 10 〉

3. 나머지가 없는 (두 자리 수)÷(두 자리 수)

1 4 **2** 3 **3** 4

4 3 **5** 2 **6** 4

7 8 **8** 4 **9** 3

10 5 **11** 3 **12** 3

13 3 **14** 7 **15** 4

16 7 **17** 2 **18** 4

19 5 **20** 2 **21** 6

22 5

생활 속 연산 6일

7
```
        6
1 3 ) 8 6
      7 8
        8
```

8
```
          3
2 7 ) 8 8
      8 1
        7
```

9
```
          4
1 4 ) 6 0
      5 6
        4
```

10 8, 3 **11** 2, 8 **12** 4, 10

13 3, 11 **14** 3, 1 **15** 3, 14

16 3, 2 **17** 2, 12 **18** 3, 3

19 5, 4

DAY 11 〉

4. 나머지가 있는 (두 자리 수)÷(두 자리 수)

1
```
          5
1 6 ) 8 5
      8 0
        5
```

2
```
          4
2 3 ) 9 5
      9 2
        3
```

3
```
          5
1 8 ) 9 7
      9 0
        7
```

4
```
          2
3 4 ) 8 4
      6 8
      1 6
```

5
```
          7
1 2 ) 9 4
      8 4
      1 0
```

6
```
          2
2 5 ) 6 1
      5 0
      1 1
```

DAY 12 〉

4. 나머지가 있는 (두 자리 수)÷(두 자리 수)

1
```
          3
1 7 ) 5 6
      5 1
        5
```

2
```
          6
1 3 ) 8 5
      7 8
        7
```

3
```
          2
2 9 ) 7 8
      5 8
      2 0
```

4
```
          2
3 4 ) 8 3
      6 8
      1 5
```

5
```
          5
1 6 ) 9 1
      8 0
      1 1
```

6
```
          4
2 3 ) 9 7
      9 2
        5
```

7

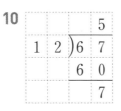

```
        4
18)  8 2
     7 2
     1 0
```

8

```
        3
26)  8 0
     7 8
       2
```

9

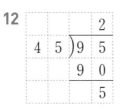

```
        7
14)  9 9
     9 8
       1
```

10

```
        5
12)  6 7
     6 0
       7
```

11

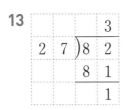

```
        3
19)  7 1
     5 7
     1 4
```

12

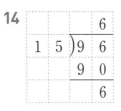

```
        2
45)  9 5
     9 0
       5
```

13

```
        3
27)  8 2
     8 1
       1
```

14

```
        6
15)  9 6
     9 0
       6
```

15

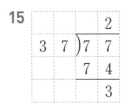

```
        2
37)  7 7
     7 4
       3
```

16 **17**

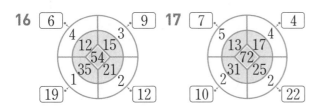

18 **19**

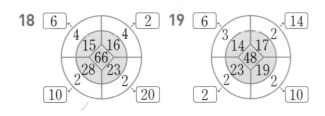

20 **21**

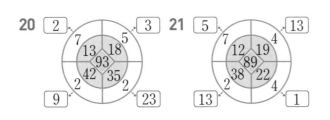

4. 나머지가 있는 (두 자리 수)÷(두 자리 수)

1 5⋯3	**2** 2⋯7	**3** 4⋯1
4 1⋯25	**5** 2⋯16	**6** 6⋯7
7 4⋯9	**8** 2⋯15	**9** 5⋯11
10 4⋯6	**11** 2⋯11	**12** 2⋯12
13 6⋯3	**14** 3⋯17	**15** 7, 8
16 3, 3	**17** 5, 13	**18** 4, 5
19 2, 10	**20** 6, 5	**21** 8, 3
22 2, 23	**23** 3, 11	

4. 나머지가 있는 (두 자리 수)÷(두 자리 수)

1 5⋯7	**2** 3⋯13	**3** 5⋯8
4 2⋯17	**5** 2⋯17	**6** 5⋯5
7 4⋯8	**8** 2⋯9	**9** 4⋯12
10 3⋯2	**11** 4⋯7	**12** 2⋯9
13 3⋯10	**14** 2⋯5	
15 ②　9　△8	**16** △8　18　③	
17 △6　④　3	**18** 1　③　△5	
19 4　⑤　△6	**20** 2　③　△4	
21 △12　③　11	**22** △7　12　④	
23 △1　2　③	**24** △9　⑤　1	

DAY 15   138~139쪽

5. 나머지가 없고 몫이 한 자리 수인 (세 자리 수)÷(두 자리 수)

1
```
          7
2 1 ) 1 4 7
      1 4 7
          0
```

2
```
          6
4 5 ) 2 7 0
      2 7 0
          0
```

3
```
          6
9 2 ) 5 5 2
      5 5 2
          0
```

4
```
          4
5 6 ) 2 2 4
      2 2 4
          0
```

5
```
          6
3 6 ) 2 1 6
      2 1 6
          0
```

6
```
          9
2 3 ) 2 0 7
      2 0 7
          0
```

7
```
          2
8 4 ) 1 6 8
      1 6 8
          0
```

8
```
          8
3 7 ) 2 9 6
      2 9 6
          0
```

9
```
          4
7 3 ) 2 9 2
      2 9 2
          0
```

10 9   **11** 4   **12** 5

13 7   **14** 9   **15** 8

16 8   **17** 5

3
```
          9
6 7 ) 6 0 3
      6 0 3
          0
```

4
```
          7
2 3 ) 1 6 1
      1 6 1
          0
```

5
```
          5
7 2 ) 3 6 0
      3 6 0
          0
```

6
```
          6
8 4 ) 5 0 4
      5 0 4
          0
```

7
```
          5
3 2 ) 1 6 0
      1 6 0
          0
```

8
```
          4
4 3 ) 1 7 2
      1 7 2
          0
```

9
```
          4
3 5 ) 1 4 0
      1 4 0
          0
```

10
```
          7
6 4 ) 4 4 8
      4 4 8
          0
```

11
```
          4
2 9 ) 1 1 6
      1 1 6
          0
```

12
```
          8
9 6 ) 7 6 8
      7 6 8
          0
```

13
```
          8
1 9 ) 1 5 2
      1 5 2
          0
```

14
```
          5
4 8 ) 2 4 0
      2 4 0
          0
```

15
```
          3
8 3 ) 2 4 9
      2 4 9
          0
```

16 9 g   **17** 7 g   **18** 8 g

19 6 g   **20** 5 g   **21** 6 g

22 5 g   **23** 5 g

DAY 16   140~141쪽

5. 나머지가 없고 몫이 한 자리 수인 (세 자리 수)÷(두 자리 수)

1
```
          6
5 3 ) 3 1 8
      3 1 8
          0
```

2
```
          9
1 4 ) 1 2 6
      1 2 6
          0
```

5. 나머지가 없고 몫이 한 자리 수인 (세 자리 수)÷(두 자리 수)

1 3	**2** 4	**3** 4
4 8	**5** 9	**6** 7
7 9	**8** 8	**9** 5
10 6	**11** 5	**12** 7
13 5	**14** 2	**15** 3
16 6	**17** 7	**18** 5
19 6	**20** 2	**21** 4
22 5	**23** 8	**24** 7

3
```
        2
5 9 ) 1 2 8
      1 1 8
          1 0
```

4
```
          5
3 1 ) 1 7 9
      1 5 5
          2 4
```

5
```
          9
3 6 ) 3 3 6
      3 2 4
          1 2
```

6
```
          7
7 8 ) 5 6 1
      5 4 6
          1 5
```

7 7, 6 / 4, 18   **8** 9, 6 / 3, 27

9 6, 11 / 2, 23   **10** 8, 23 / 4, 31

11 4, 30 / 3, 14   **12** 7, 7 / 5, 11

13 8, 16 / 5, 15   **14** 6, 2 / 2, 82

5. 나머지가 없고 몫이 한 자리 수인 (세 자리 수)÷(두 자리 수)

1 6	**2** 7	**3** 8	**4** 5
5 3	**6** 3	**7** 6	**8** 6
9 4	**10** 3	**11** 4	**12** 5
13 9	**14** 8	**15** 7	**16** 8
17 6	**18** 3	**19** 7	**20** 5
21 4	**22** 6	**23** 8	**24** 9
25 5	**26** 4		

6. 나머지가 있고 몫이 한 자리 수인 (세 자리 수)÷(두 자리 수)

1
```
          6
2 5 ) 1 5 7
      1 5 0
          7
```

2
```
          9
8 5 ) 7 6 8
      7 6 5
          3
```

6. 나머지가 있고 몫이 한 자리 수인 (세 자리 수)÷(두 자리 수)

1
```
          8
3 5 ) 3 0 0
      2 8 0
          2 0
```

2
```
          4
6 2 ) 2 5 9
      2 4 8
          1 1
```

3
```
          8
4 6 ) 3 9 3
      3 6 8
          2 5
```

4
```
          6
1 9 ) 1 2 3
      1 1 4
          9
```

5
```
          3
5 4 ) 1 7 6
      1 6 2
          1 4
```

6
```
          7
8 2 ) 5 9 8
      5 7 4
          2 4
```

7
```
          9
2 4 ) 2 2 5
      2 1 6
          9
```

8
```
          6
3 8 ) 2 3 3
      2 2 8
          5
```

9

```
        5
7 3 ) 3 8 4
      3 6 5
        1 9
```

10

```
          3
6 9 ) 2 4 2
      2 0 7
        3 5
```

11 　　**12** 　　**13**

14　　**15** 　　**16**

13 4 … 15　　**14** 8 … 23　　**15** 너구리

16 소방차　　**17** 알파카　　**18** 금붕어

19 수요일　　**20** 자물쇠　　**21** 밀가루

22 신호등

생활 속 연산 9명

DAY 21 　　　150~151쪽

6. 나머지가 있고 몫이 한 자리 수인 (세 자리 수)÷(두 자리 수)

1 6 … 16	**2** 9 … 7	**3** 6 … 3
4 4 … 19	**5** 5 … 31	**6** 3 … 10
7 6 … 14	**8** 4 … 35	**9** 7 … 28
10 3 … 6	**11** 6 … 8	**12** 8 … 14
13 7 … 4	**14** 8 … 26	**15** 5, 17
16 6, 4	**17** 4, 2	**18** 8, 13
19 8, 12	**20** 7, 4	**21** 9, 7
22 3, 24	**23** 6, 30	**24** 9, 9

DAY 22 　　　152~153쪽

6. 나머지가 있고 몫이 한 자리 수인 (세 자리 수)÷(두 자리 수)

1 8 … 4	**2** 7 … 2	**3** 6 … 28
4 2 … 20	**5** 7 … 6	**6** 5 … 7
7 3 … 30	**8** 8 … 2	**9** 9 … 4
10 5 … 10	**11** 6 … 19	**12** 7 … 25

DAY 23 　　　154~155쪽

7. 나머지가 없고 몫이 두 자리 수인 (세 자리 수)÷(두 자리 수)

1

```
          3 4
2 6 ) 8 8 4
      7 8
      1 0 4
      1 0 4
          0
```

2

```
          1 3
3 5 ) 4 5 5
      3 5
      1 0 5
      1 0 5
          0
```

3

```
          1 2
7 9 ) 9 4 8
      7 9
      1 5 8
      1 5 8
          0
```

4

```
          1 3
5 8 ) 7 5 4
      5 8
      1 7 4
      1 7 4
          0
```

5

```
          2 1
2 3 ) 4 8 3
      4 6
        2 3
        2 3
          0
```

6

```
          1 8
4 1 ) 7 3 8
      4 1
      3 2 8
      3 2 8
          0
```

7 11	**8** 16	**9** 35
10 18	**11** 32	**12** 57
13 17	**14** 29	**15** 12
16 31	**17** 15	**18** 41

7. 나머지가 없고 몫이 두 자리 수인 (세 자리 수)÷(두 자리 수)

1
```
        1 9
  2 6 ) 4 9 4
        2 6
        2 3 4
        2 3 4
            0
```

2
```
        4 4
  1 8 ) 7 9 2
        7 2
          7 2
          7 2
            0
```

3
```
        2 4
  3 4 ) 8 1 6
        6 8
        1 3 6
        1 3 6
            0
```

4
```
        7 5
  1 2 ) 9 0 0
        8 4
          6 0
          6 0
            0
```

5
```
        3 7
  2 1 ) 7 7 7
        6 3
        1 4 7
        1 4 7
            0
```

6
```
        2 1
  4 3 ) 9 0 3
        8 6
          4 3
          4 3
            0
```

7
```
        1 4
  6 2 ) 8 6 8
        6 2
        2 4 8
        2 4 8
            0
```

8
```
        1 2
  8 3 ) 9 9 6
        8 3
        1 6 6
        1 6 6
            0
```

9
```
        3 8
  1 9 ) 7 2 2
        5 7
        1 5 2
        1 5 2
            0
```

10
```
        2 4
  3 8 ) 9 1 2
        7 6
        1 5 2
        1 5 2
            0
```

11
```
          2 8
  2 5 ) 7 0 0
        5 0
        2 0 0
        2 0 0
            0
```

12
```
          2 7
  1 4 ) 3 7 8
        2 8
          9 8
          9 8
            0
```

13 13 / 13 m   **14** 21 / 21 m   **15** 23 / 23 m

16 19 / 19 m   **17** 15 / 15 m   **18** 17 / 17 m

7. 나머지가 없고 몫이 두 자리 수인 (세 자리 수)÷(두 자리 수)

1 38	**2** 26	**3** 28
4 31	**5** 26	**6** 16
7 16	**8** 25	**9** 15
10 53	**11** 28	**12** 32
13 14	**14** 12	**15** 26
16 36	**17** 60	**18** 14
19 15	**20** 84	**21** 78
22 25	**23** 45	

DAY 26 ▶

7. 나머지가 없고 몫이 두 자리 수인 (세 자리 수)÷(두 자리 수)

1 23		**2** 29		**3** 17	
4 14		**5** 25		**6** 31	
7 19		**8** 26		**9** 44	
10 12		**11** 23		**12** 38	
13 12		**14** 59		**15** 12	
16 13		**17** 13		**18** 45	
19 14		**20** 16		**21** 37	
22 18		**23** 20		**24** 15	
25 48		**26** 56			

DAY 27 ▶

8. 나머지가 있고 몫이 두 자리 수인 (세 자리 수)÷(두 자리 수)

1
```
          1 2
  2 3 ) 2 8 4
        2 3
        5 4
        4 6
          8
```

2
```
          3 5
  1 6 ) 5 7 2
        4 8
        9 2
        8 0
        1 2
```

3
```
          6 2
  1 4 ) 8 7 7
        8 4
        3 7
        2 8
          9
```

4
```
          5 2
  1 9 ) 9 9 3
        9 5
        4 3
        3 8
          5
```

5 18, 9	**6** 27, 12	**7** 42, 11
8 37, 5	**9** 12, 25	**10** 21, 3
11 26, 12	**12** 21, 17	**13** 12, 5
14 47, 9		

DAY 28 ▶

8. 나머지가 있고 몫이 두 자리 수인 (세 자리 수)÷(두 자리 수)

1
```
          2 4
  2 7 ) 6 5 4
        5 4
        1 1 4
        1 0 8
            6
```

2
```
          1 4
  5 3 ) 7 5 0
        5 3
        2 2 0
        2 1 2
            8
```

3
```
          1 2
  3 8 ) 4 6 0
        3 8
        8 0
        7 6
          4
```

4
```
          2 3
  4 2 ) 9 7 9
        8 4
        1 3 9
        1 2 6
          1 3
```

5
```
          2 5
  3 4 ) 8 7 0
        6 8
        1 9 0
        1 7 0
          2 0
```

6
```
          3 1
  2 3 ) 7 1 8
        6 9
        2 8
        2 3
          5
```

7
```
          3 4
  1 5 ) 5 1 2
        4 5
        6 2
        6 0
          2
```

8
```
          1 1
  6 4 ) 7 0 5
        6 4
        6 5
        6 4
          1
```

9 25, 5	**10** 19, 16	**11** 34, 21
12 16, 1	**13** 42, 15	**14** 20, 8
15 16, 21	**16** 37, 15	**17** 17, 3
18 14, 16		

DAY 29 ▶ 166~167쪽

8. 나머지가 있고 몫이 두 자리 수인 (세 자리 수)÷(두 자리 수)

1	34 ⋯ 7	2	12 ⋯ 16	3	16 ⋯ 25
4	26 ⋯ 10	5	14 ⋯ 8	6	29 ⋯ 12
7	14 ⋯ 20	8	63 ⋯ 3	9	12 ⋯ 50
10	19 ⋯ 21	11	21 ⋯ 12	12	71 ⋯ 2
13	12 ⋯ 6	14	17 ⋯ 9	15	5, 12, 2, 3
16	2, 4, 5, 8				

DAY 30 ▶ 168~169쪽

8. 나머지가 있고 몫이 두 자리 수인 (세 자리 수)÷(두 자리 수)

1	25 ⋯ 12	2	34 ⋯ 2	3	21 ⋯ 9
4	32 ⋯ 4	5	54 ⋯ 12	6	19 ⋯ 23
7	14 ⋯ 33	8	11 ⋯ 24	9	17 ⋯ 1
10	13 ⋯ 9	11	11 ⋯ 1	12	14 ⋯ 5
13	15 ⋯ 36	14	16 ⋯ 5		

15 (○) ( )　　16 ( ) (○)

17 ( ) (○)　　18 (○) ( )

19 (○) ( )　　20 ( ) (○)

21 (○) ( )　　22 (○) ( )

생활 속 연산 22일

DAY 31 ▶ 170~171쪽

마무리 연산

1	3	2	9	3	4
4	2 ⋯ 13	5	5 ⋯ 4	6	6 ⋯ 40
7	3	8	3	9	2
10	3	11	4	12	4 ⋯ 8
13	2 ⋯ 13	14	3 ⋯ 6	15	6 ⋯ 5
16	3	17	7	18	8
19	7 ⋯ 4	20	5 ⋯ 12	21	6 ⋯ 21
22	2	23	3	24	3
25	2	26	2 ⋯ 5	27	7 ⋯ 2
28	3 ⋯ 12	29	4 ⋯ 3		

DAY 32 ▶ 172~173쪽

마무리 연산

1	9	2	7	3	5
4	4 ⋯ 8	5	6 ⋯ 12	6	5 ⋯ 25
7	17	8	26	9	11
10	18	11	17	12	39 ⋯ 10
13	25 ⋯ 2	14	59 ⋯ 7	15	12 ⋯ 16
16	4	17	9	18	8
19	9 ⋯ 9	20	4 ⋯ 14	21	3 ⋯ 27
22	28	23	11	24	12
25	35	26	28 ⋯ 11	27	19 ⋯ 5
28	19 ⋯ 23	29	52 ⋯ 6		

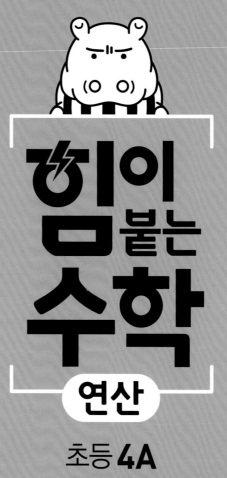

힘이 붙는
수학

연산

초등 4A